El barrio era una fiesta

Alfaguara es un sello editorial del Grupo Santillana

www. alfaguara.com

Argentina
Leandro N. Alem, 720
Buenos Aires C1001AAP
Tel. (54 114) 912 72 20 / 912 74 30
Fax (54 114) 912 74 40

Bolivia
Avda. Arce 2333
La Paz
Tel. (591 2) 44 11 22
Fax (591 2) 44 22 08

Chile
Dr. Aníbal Ariztía 1444
Providencia
Santiago de Chile
Tel. (56 2) 236 85 60
Fax (56 2) 236 98 09

Colombia
Calle 80, nº10-23
Santafé de Bogotá
Tel. (57 1) 635 12 00
Fax (57 1) 236 93 82

Costa Rica
La Uruca
100 m oeste de Migración y Extranjería
San José de Costa Rica
Tel. (506) 220 42 42 y 220 47 70 / 1 / 2 / 3
Fax (506) 220 13 20

Ecuador
Avda. Eloy Alfaro 2277 y 6 de Diciembre
Quito
Tel. (593 2) 44 66 56 / 26 77 49 / 25 06 64
Fax (593 2) 44 87 91 / 44 52 58

España
Torrelaguna, 60
28043 Madrid
Tel. (34 91) 744 90 60
Fax (34 91) 744 92 24

Estados Unidos
2105 N.W. 86th Avenue
Miami, F.L. 33122
Tel. (1 305) 591 95 22 / 591 22 32
Fax (1 305) 591 91 45

Guatemala
30 Avda. 16-41
Zona 12
Guatemala C.A.
Tel. (502) 475 25 89
Fax (502) 471 74 07

México
Avda. Universidad 767
Colonia del Valle
03100 México D.F.
Tel. (52 5) 688 75 66 / 688 82 77 / 688 89 66
Fax (52 5) 604 23 04

Paraguay
Avda. Venezuela, 276
Asunción
Tel./fax (595 21) 213 294 / 214 983 / 202 942

Perú
Avda. San Felipe 731
Jesús María
Lima
Tel. (51 1) 461 02 77 / 460 05 10
Fax. (51 1) 463 39 86

Puerto Rico
Centro Distribución Amelia
Calle F 34, esquina D
Buchanan – Guaynabo
San Juan P.R. 00968
Tel. (1 787) 781 98 00
Fax (1 787) 782 61 49

República Dominicana
César Nicolás Penson 26, esquina Galván
Edificio Syran 3º
Gazcue
Santo Domingo R.D.
Tel. (1809) 682 13 82 / 221 08 70 / 689 77 49
Fax (1809) 689 10 22

Uruguay
Constitución 1889
11800 Montevideo
Tel. (598 2) 402 73 42 / 402 72 71
Fax (598 2) 401 51 86

Venezuela
Avda. Rómulos Gallegos
Edificio Zulia, 1º
Boleita Norte
Caracas
Tel. (58 212) 235 30 33
Fax (58 212) 239 79 52

Mauricio Rosencof

El barrio era una fiesta

ALFAGUARA

Constitución 1889. 11800 Montevideo
Teléfono 4027342
Telefax 4015186
Correo electrónico: edicion@santillana.com.uy

Diseño:
Proyecto de Enric Satué.

Cubierta: Andrés Rojí.
Fusión del cuadro *Viejo catalán* de Rafael Barradas (1915, Museo Nacional de Artes Visuales de Montevideo) y la fotografía de Pedro Bernabé Varela, tomada por el Coco Salgueiro.

Pedro Bernabé Varela es el Negro de la Mirada.

ISBN: 9974-95-055-4
Hecho el depósito que indica la ley.

Impreso en Uruguay. Printed in Uruguay.
Primera edición: Setiembre de 2005, 2.500 ejemplares.
Segunda edición: Diciembre de 2005, 1.000 ejemplares.

Para vos, Matilde,
estas páginas
por donde campea el Tape.

Con todo,
M.

El barrio era una fiesta. Pero entonces no lo sabía. Tuvo que caminar el tiempo por el sendero de los días y permitir que la memoria hundiera sus raíces propias; no las mías, que leo en su aire los hechos vividos, no, la memoria con vida propia, que crece, ramifica, fructifica, aun después, siempre después que uno ya no ramifica, florece o da frutos. Más bien, poda. Esa memoria, no; la independiente, que crea y recrea y hace propios los hechos leídos, soñados, los fantásticos, alucinados, o simplemente acontecidos en otros, o por otros contados. La memoria, que cuando uno duerme, dormir, soñar, tal vez morir, elabora, crea, fantasea, te articula sueños desarticulados, te resuelve desde una regla de tres hasta qué palabras vas a pronunciar en la primera cita. Dios bendiga esa memoria. Tal vez, si algo dio lo que uno es o no, sea eso, recipiente sin paredes, ni límites, etéreo, sin contornos, pero recipiente, porque es la tuya, no pertenece a otro cualquiera, no. A vos. A uno. Y ahí andan, como nubes translúcidas, sin cuerpo, flotando, todas, definidas cada cual, en majada; sobra espacio, es infinito.

Puede haber familiares, como los panteones, pero vivos. La de cada cual va al espacio de sus padres y los padres de los padres de los padres, hasta el pensamiento inicial. Tal vez en la espontánea frescura de la niñez, cuando damos vuelta un banco largo, navegamos, somos remeros, capitanes, piratas, galeotes, y es que por ahí el abuelo de los abuelos aparece en la impronta de la neurona genética y entra a jugar, navegar, vivir en nosotros, con nosotros.

Por eso hoy, que la descubro, le dejo mis dedos. Que ella teclee sus memorias con su memoria, que tiene infinitamente más que la mía. El barrio, mi barrio, se lo dejo a ella. También es de ella. Y ella es la que sabe que el barrio era una fiesta. No por tablado y corso, por boliche y campito futbolero, no. Por todo. Por la marcha alucinante, por el destierro, porque se moría y había nacimientos. Y novias. Había novias.

Dejó reposar el pico, vertical. Afirmó una pierna y aflojó la otra, en posición de descanso, como en la tropa, y apoyó una mano, de dedos gruesos, campesinos, sobre el mango, y la otra sobre el brazo, la mano caída, como raíces de viña, en reposo. La gorra, que ya venía sobre los ojos, le dio sombra para otear el movimiento que se veía apenas, camino arriba, y que avanzaba. Los peones de la cuadrilla lo fueron siguiendo en actitud, y el capataz, que se les arrimó con tono de competencia: "vamo, Gallego, vamo, que acá no se regala nada". Pero al ver lo que miraban, se les unió.

El Gallego, sin un movimiento, dirigida la cabeza hacia lo mirado, lo había reojeado al capataz por debajo de la visera.

Era su primer trabajo desde el arribo. Ese arribo triste y cauteloso de los que vienen de la derrota. Buscó tierra, viñedos, olivares, lo suyo. Pero nada. Le cayó esto y lo levantó. Una cuadrilla de vialidad. Abrir calles sonaba lindo. Era como abrir camino, abrirse camino. Tenían que hormigonar calles en un territorio de pocas casas y mucha tierra. Un pueblo. Iban a fundar un pueblo. Acá lo llamaban barrio. Y le gustó porque se llevaba jornal y casa. Durante el día, pico y pala. Por la noche, habitar como sereno la casilla de chapa donde quedaban las herramientas y un catre de tres patas vivas y en la cuarta una estiba de ladrillos. Hubiera clavado las cuatro fotos que le dolían, pero no. No quería preguntas.

Cuando la cuadrilla se fue, le gustó el barrio y afincó. Ya contaba con algunos ahorros magros como para comprar gallinas y, por lo demás, no le desarmaron el galponcito, a la voz del capataz: “dejen eso quieto; chapas sobran”. Pero ni ahí fijó los retratitos en las vigas. Tomó las fotos, les pasó un pañuelito limpio y las guardó en el sobre del último sueldo, dormidas, cuidadas. Les cantaría, les contaría, las besaría alguna vez, cuando quisiera. Pero que lo estuvieran mirando, no. Esa camisa de viyela, con manchas y vejez, el pantalón recibido, tan usado, atado con chaura de plomada, no, eso no. Él tenía un traje. Uno. Se lo ponía los atardeceres que iba al bar, de sombrero gris, afeitado. A beber. Pero antes de salir, vestido como estaba, limpio como estaba, les sonreía. “Ya vuelvo”. Y la familia volvía al estantecito de tabla de obra, entre la lata que conservaba el pan y la otra, que contenía eso, que estaba aprendiendo a manipular, que era de lo más compañero. Verde.

La nube gris que venía camino abajo se convirtió de pronto en un huevo de araña en sazón, cuando la esferita hilada concienzudamente un buen día desprende de su núcleo un halo en movimiento, pequeñísimas arañitas en movimiento, y el gris compacto se diluye en tenue, gris pero tenue, y las que llegan a la vida en multitud se desprenden, se separan, pero no mucho, el hilo materno las alimenta, y permanecen distantes pero juntas.

Avanzaban lentamente y sin gritos. Sin gritos porque el aliento no les daba para coros. Y porque la boca abierta de los tuberculosos amenaza, como esos uniformes, túnicas grises de tela basta, sin bolsillos, pobres, como los rostros. Rostros pobres, ricos en ojeras; faltos de mejillas, hundidas, como comprimiendo las bocas, que parecían famélicas. Y lo eran.

Caminaban despacio, se cuidaban de la fatiga, algunos con más fiebre, otros con menos. La fiebre la llevaban en la mirada.

Las primeras gallinas llegaron maneadas por las patas, colgadas cresta abajo. Y el Gaita las largó, casi a campo abierto; había pocos vecinos, el Rengo Pérez, carro y caballo, doña Luz y los nietos. Poco más. Las coloradas entraron a picotear sin problemas de aclimatación. No había mucho, hasta el *prrrrr pipipí* del Gallego, que desparramó maíces de a puño murmurando "a plantar, a plantar". Que el maíz para su numerario era caro, y sus manos requerían herramienta y su alma, tierra. Aquel reguero de granos dorado-rojizos era para aquerenciarlas. Para las gallinas el *prrrrr pipipí* está asociado a desayuno, y desde el primer día el hombre fue para ellas un proveedor.

La cuadrilla, el capataz, habían quedado, a su manera, conmovidos por la historia del Gallego, que no conocían. Pero conmovía igual. Venía de una guerra, callado, con familia distante, que nunca mencionó. Y entraron a circular, a la hora de un alto breve para armar un tabaquito, el "dicen que bajó a unos cuantos". Pero nadie lo dijo o había dicho, hasta esa suposición, que todos dieron por cierta y entró a estructurarse en el cruce del Ebro, donde dicen que hubo bruta batalla, y el comando de la tropa que resistió en Madrid. "Y el hombre está ahorrando para traer a los hijos". Ya tuvo hijos, pero no se sabía bien qué había pasado con la mujer. Por eso, al irse los cuadrilleros a seguir armando el barrio a golpes de hormigón, le dejaron la casilla, como al descuido, primus y un litro de kerosene, pico, pala, que anotaron como faltante, y esa lata que venía con curso, "usté acostumbresé, acostumbresé, hombre, y verá que el mate es compañerazo".

El día de las gallinas se trajeó al atardecer. Se calzó el gacho, se lo alzó tras cartón levemente, saludando, y se lo volvió a calzar, ahora sí, para el boliche.

Del galponcito al hormigón nuevo había unos treinta metros. Los cruzó con paso satisfecho. Tenía, lo que hace mucho, media docena de gallinas ponedoras.

Cuando llegó a la calzada, se recompuso, vertical, noble, y avanzó la media cuadra que lo distanciaba del camino, murmurando unos versos de canción que le aguaron la mirada, siempre de frente:

Iba Pachín pa' la siega
y en el camino acordose
de la mujer y los neños.
Pegó la vuelta, y volviose.

Y siguió avanzando a paso firme.

El avance de la marcha en gris fue muy anterior a las gallinas coloradas y a la peregrinación del Gallego al boliche. Pero como los tiempos de la memoria son antojadizos, sin calendario, yo diría que libertarios, tenemos al Gaita trajeado, enhiesto y a paso firme rumbeando hacia el boliche de timba y caña cuya entrada daba al Parque de los Aliados (no cualquiera tiene boliche con parque en la puerta) y a sus espaldas, cancha de bochas y parrilla de chorizos, que tenían mucha salida los días de fútbol, porque estaban en camino al estadio, riñón del parque, y eso de comidas rápidas y al paso es más antiguo y nacional que lo que la publicidad contemporánea nos ofrece.

Digamos, como al pasar, que la marcha en gris iba rumbo al estadio pocos días antes de que se inaugurara el Campeonato Sudamericano y que, al cruzar frente al choricerío, respiraron hondo pero no se detuvieron. Con ese aroma ingresaron al parque. Los parroquianos, en la puerta del boliche, los vieron desaparecer entre ombúes y eucaliptos, sincretismo de cultura arborícola, y solo se escuchó la voz del Paisano Rivas. "Pobrecitos".

Menéndez, sin modificar la posición del rostro al frente, estimaba qué podrían dar los baldíos que habían quedado entre casa y casa recién florecidas en el barrio, reojeando, ojitos a derecha, ojitos a izquierda, bajo la sombra del borsalino, de ala doblada hacia abajo, de un azul gastado, y qué iba a ser borsalino, si costaban, aquí y en cualquier parte, un ojo.

Con la mirada llena de tierras entró al boliche. Saludó con dos dedos tocando el gacho, se instaló de frente al mostrador desde donde campaneaba al Paisano Rivas, obrero metalúrgico entre semana, y criollo de botas los días de estadio, con cara de recién llegado, ojo abierto, a lo bobo, chambergo a lo Sandrini, y sonrisa dientuda. Y ahí andaba, pifiando, pero sin errar a la bola, porque eso es exagerar.

El Gallego sonreía para adentro. Le admiraba la picardía, por amor y respeto a la picardía, del campesino alzado en sierras morenas, guarida de guerrilleros y cabreros mansos, mensajeros de movimientos en pueblos y campos. Descendientes de aquellos aleccionados por don Quijote... *felices tiempos aquellos que los antiguos llamaron dorados, no porque abundara ese metal, sino porque no existían estas dos palabras: tuyo y mío.*

Toser es contagioso, pensó Menéndez. Porque cuando la marcha en gris se aproximaba a la cuadrilla, todos en descanso y pico a tierra, una mujer de manos pequeñitas que estrujaba un ovillo de pañuelo grande, o repasador, o trapo nomás, retazo de una falda vieja, fuera de uso, soltó una tos breve, contenida, que venía apretando durante cuadras, y fue como si saltara un tapón de botella de champaña agitada; entonces las toses se sucedieron, a borbotones, y fue cuando otras, muchas, de todos, recibieron una señal, o un contagio, porque la consigna era no toser en el trayecto, en la larga caminata del hospital de tísicos hacia el estadio, para no provocar rechazo en la gente, que no se espantaran; ellos eran respetuosos, no querían contagiar, solo medicamento y churrasco. Y la mujer flaquita, pobre, se llevó el pañuelo repasador hasta la boca, y era, mismo, como querer tapar la botella de champaña con el tapón que saltó, que no vuelve jamás al gollete donde estaba comprimido, aprisionado; pero no hubo caso, sobre todo cuando todos, como el tapón, se sintieron liberados y tosían hacia abajo unos, haciendo carpa con la mano otros, y otros con las dos, como orejeras de matungo carrero, para que gargajos y bacilos salieran en dirección al piso. A Menéndez se le llenaron los ojos de solidaridad y fue cuando su mirada se cruzó con la del Negro en gris, cuya mirada pedía auxilio, y una y otra, uno y otro, por esas cosas que vaya uno a saber, quedaron enganchados.

Ver un terreno baldío a Menéndez le producía cosa. Cosa era eso de venir de una tierra donde todo se plantaba, hasta el polvo que se barría en las entradas de las casas después que los hombres regresaban del campo. Tanto, que al Gallego le dolía hasta el hormigón que arrojaban sobre la tierra para darle gusto a los coches, dejando una tierra oprimida, que podría florecer a su antojo y retribuir en verdes y frutos la semilla que le dieran. Lo que no le gustaba era eso de los lirios, a los que las Escrituras recomendaban "mirad". El Gaita era ateo.

Cuando se vio a las arañitas desplegadas, aireadas entre sí, perdieron el tono de nubarrón, pero no dejaron de ser tormentosas. Lo que sí se pudo ver es que cada parte, cada uno, silencioso y todo, era un individuo.

Muchos habían cosido bolsillos en sus túnicas despobladas de todo, por nada, o por algo: abaratar costos. Entonces los hombres tenían a la altura del corazón un rectángulo de otro uniforme, dado de baja, pobre de color pero al tono. Y en su adentro, el tabaco, prohibido por razones de salud, con esa tos, imagine. Hojillas amarillas marca Job, algunos; papel de estraza, el común. Ellas tenían más poesía. Eran bolsillitos de tela, recorte de alguna blusa inútil, floreadas algunas, pulcras todas.

Abultaba en todos los bolsillitos un cacho de pan, alguna galleta. Los más pudientes llevaban un trozo de queso.

Más de uno hubiera querido, al menos, silbar. Un tango, un vals criollo. Pero no daba el aire. Menéndez, que los miraba pasar, recordó la gaita, que una vez llena de aire, chiflaba sola.

"A una marcha así le falta canto", se dijo. "Cuando cruzamos la frontera por Irún, derrotados y hambrientos, con mucho tuberculoso, eso sí, coño, entonamos 'La joven guardia'".

Pero aquella marcha de su memoria depuso las armas. Estas, sin tenerlas, las tomaban.

"Éramos tres o cuatro mil. Habíamos esperado la apertura de la frontera todo el día y toda la noche. Apelotonados al borde del camino que desde la Junquera a Le Perthus escala la falda de los Pirineos, aguantamos como mejor pudimos, un frío y una escarcha que helaban los huesos y limaban los últimos vestigios de nuestra resistencia física.

En las primeras horas de la mañana llegó la noticia. Era la cuarta o quinta vez que la oíamos. Pero ahora parecía cierta, a juzgar por el rosario de advertencias e instrucciones que la completaban. Primero pasarían las mujeres y los niños. Después nosotros, los internacionales. Luego, los demás. La división de Márquez, todavía en contacto con la vanguardia franquista, protegía la retirada. Por otra parte, los falangistas habían estado flojos en explotar el éxito de Barcelona y avanzaban lentamente hacia el Norte.

El permiso de admisión —acotaban— era amplio y generoso. Por tal razón debíamos ser leales y entregar nuestras armas y nuestros implementos militares en los puestos de recepción de materiales que la gendarmería había organizado del otro lado. Lo fundamental —agregaban— era obedecer, sin reticencias, las órdenes de las autoridades francesas".*

"Y bien, coño", se dijo una mañana. "Ya es el momento". El "momento" había llegado. El "momento" era la consecuencia de una construcción planificada que incluía la relación con los vivientes del lugar. El Rengo Pérez a un lado, doña Rosita al otro, los parroquianos, su ubicación territorial en la zona. Elemento fundamental para ubicar el "momento". Lo otro era el relevamiento de terrenos, descartar los cuidados porque en ello se les veía el propietario, marcar los inmediatamente aptos, sin basurales ni espinas de la cruz (Dios nos libre) y, por otra parte, esta era la época del año, la temperatura, algunas lluvias, como las de allá, pero con los nombres de los meses cambiados. "Porque el mundo es así, coño, vaya usté a entenderlo". No le fue sencillo integrar el cambio de los nombres a los tiempos. "Que allá en julio riegas y acá te sobra el agua. ¡Coño!" A veces el "¡coño!" de Menéndez equivalía a un "amén". En otras, a una decisión. "¡Vete a la mierda!", algunas veces, y muchas, nada. En suma, el "momento" había llegado luego de un estudio de situación geográfica y humana, con consideraciones de clima, hasta que se convirtió en certeza.

Así fue como cargó las municiones dorado-rojizas birladas al desayuno de las gallináceas coloradas y, pico al hombro, fue al campo de batalla del primer baldío.

Cavó un hoyo y plantó el primer grano. Y entonces, tal vez por la nebulosa que le iba quedando de lo que era o fue su mujer, "que iba mucho a la misa", murmuró palabras que no pertenecían a su pensamiento:

"Creced y multiplicaos, por amor de Dios".

Y a Menéndez le volvían, carpiendo, las viejas canciones, que brotaban solas, sin buscarlas:

Mi vaca la colorada
ya no da leche, ¡ay, dolor!
Se me ha quedado amarilla
igual que yo.

Que está enferma mi vaquita,
mi vaquita colorada,
y no hay médico que diga
que su mal es mal de España.

Cese usted, señor Ministro,
no continúe ordeñando:
que las tetas a mi vaca
¡rediós!, se le están secando.

Y cerraba sus canciones, a manera de celestial "amén" de púlpito, con un "¡coño!" a ras de tierra.

El estadio estaba fresco. Unos años antes se había inaugurado ahí el primer Campeonato Mundial de fútbol, de feliz memoria para la nacionalidad, y era, en síntesis, la cuna de los campeones. Ahora se iba a inaugurar un Campeonato Sudamericano y las gradas de hormigón, que en el 30 habían sido secadas a estufa, ahora estaban secas, firmes. Salvo por el lado de abajo, porque por el lado de abajo de las graderías, que era un gran vacío donde crecían los yuyos y meaban los hinchas, se veía una escalinata invertida, mirada de abajo, y cada tanto alguna mancha de humedad. Allí no había llegado ni la estufa ni el sol. Incluso en el territorio que correspondía al palco oficial, el más cuidado, como corresponde. Las boleterías, donde se apiñaban los entusiastas, estaban del lado opuesto a la tribuna oficial, y en la vuelta andaban los revendedores; faltaban pocos días para el partido inaugural contra los peruanos, mientras la botijada del barrio peloteaba una de goma, jugando y soñando.

Hacia la oficial, bautizada con el nombre de "América", se dirigían los grises. Ingresaron al parque respirando hondo —"¡qué aire más sano!"—; se distrajeron con algún benteveo o la clarinada de un hornero que se mandaba el *vibrato* con las alas. Calle por medio, entre la América y el parque; el Parque formaba unas barrancas pequeñas, con transparentes, algunos espinillos, fauna autóctona.

Los caminantes no perturbaron a los botijas que pararon el juego para verlos pasar, ni a los compradores ni revendedores, que con un ojo atendían la cola hacia la ventanilla y con el otro veían aquello que dio hasta para el comentario "son los peruanos que vienen a reconocer el terreno", "vo, qué pobreza", "andan mal de equipo, che".

Y andaban, mismo.

Eso de que la memoria de uno, y más que la de uno, la otra, es independiente, hasta del cráneo y las neuronas destacadas al recuerdo, que se ubican en el occipucio, no es un bolazo. Hay científicos que han establecido que la memoria está fuera del cuerpo, del cráneo, del hígado y el páncreas, como las tres almas de Aristóteles, una para cada órgano vital, y que la función de la neurona es como la antena de la tele, atrae la imagen. Imaginate. Si uno extrovierte en imagen esta hipótesis, se acaban las gorras. Sobre la azotea corporal luciríamos una antenita de medio pelo, como la de los coches, y para recordarla la subiríamos uno o dos tramos. A la hora de dormir, chau. Se bajan todas.

"Hijo de puta", "culorroto", "concha e' tu madre". "Tuberculoso". En la antología furiosa del insulto, junto con los destratos a la vieja, que es sagrada, a los cuestionamientos sobre la virilidad del contrincante, curiosamente figura, se incluye, un calificativo que procede de un bacilo, de un diagnóstico: "tuberculoso".

En el lenguaje de suburbio de barrio, el del convento y el cante, antes del cante, cuando cantegril no había pero había rancherías orilleras de la civitas, se podía insultar con la miseria: "pichi". Por pichicome o bichicome. Se enrostraba la pobreza. Curioso insulto, algo aristocrático, desde la pobreza, porque es un pobre que tiene algo el que apostrofa a otro, que tal vez tenga, pero se le ofende por no tener, como al vagabundo de la calle, bichicome, pichi. Puede ser una manera de reafirmar la condición de estabilidad, domicilio conocido, olla surtida que uno tiene a fuerza de trabajo, sacrificios, buena conducta.

Pero que te insulten por enfermo, escapa, en primera instancia, no en segunda, a toda lógica. Discutir con alguien e insultarlo con un "engripado" no suena serio. "¡Hepático de mierda!" Ya es otra cosa, pero no mucho. "¡Viejo cayorda!"

Liviano. Cayos, hígado. "¡Cirrósico!" No va. Es muy serio. No se atenta contra el mostrador así como así. Por lo demás, nadie está libre. "¡Dispépsico!" No jodas.

"Tuberculoso" es otra historia. Primero porque suena a tubérculo, forúnculo, "tabernáculo", como diría el Viejo Vizcacha. Después "culoso", "asqueroso". Provoca, la palabra en sí, asociaciones fuleras. Un amigo, en los días de muchacho milonguero, compartimentaba su nombre, le gustaba "Jorge", que asociaba con Reyes. Jamás el suyo, Edmundo, porque, como él explicaba: "Edmundo, inmundo, ¿entendés?".

Pero es más penoso, mucho más penoso. El tuberculoso es excluido, es un leproso medieval sin campanilla; es radiado, se le esquiva, no le vale el "mirá que ya estoy bien", "ya no contagio", nada. Nada de mate con él, nada de timba bolichera ni compartir bulín. Nada.

El tuberculoso tose, escupe; uno aguarda la huella de la sangre. Se fatiga. Es una amenaza. Para uno, para la familia, ¿entendés? "Los pibes. Por mí no, pero los pibes..."

"Tuberculoso", che. Andá llevando.

Recorrió las nidadas, que no eran muchas, pero los huevos, bastantes; las coloradas salieron ponedoras. Decían los vecinos que era porque Menéndez les hablaba y las dejaba sueltas. "Buena gente, Menéndez", decían. "Callado". Con ellas, las vecinas. Con las gallinas, no. Les daba los buenos días, si habían dormido bien, les contó de la marcha en gris, pobre gente, y qué pensaban hacer por la tarde, que era domingo. Los huevos eran una treintena, que fue envolviendo de a uno en hojas de diario, y los estibaba en una lata de dulce de membrillo, rectangular, a la que le había machacado los bordes, no vaya a ser que se corten, que las desgracias no vienen solas.

Y en eso la voz de los muchachos, muchachitos. Chavales.

"Eh, Menéndez", "don Menende, oiga", "oiga, don". Era la purretada, a distancia del rancho-casilla, desde la vereda, sin entrar, llamando nomás, para que permitan. Era la barra de los picados domingueros en el único baldío que, por eso, había dejado Menéndez sin arar a pico, aunque una vuelta pareció que sí. Y desde la esquina los pibes iban a bronquear, tirarle piedras, hasta que qué piedra vieron, un cascote así de grande que asomaba a la altura del borde de lo que vendría a ser el área chica. Y Menéndez sacó el pedrusco y rellenó con tierra de por ahí mismo y se fue, y sólo dijo: "vaya que se nos malogre un centrodelantero". Y no dijo más, ni habló más, ni más comentó; pero se comentó, en el barrio se comentó. Y ahí estaba la botijada: "eh, don Menéndez, oiga", y Menéndez asomó y avanzó, y ahí van y extienden una gorra de golero llena de huevos: "anidaron en el transparente, don, contra el terreno de Pérez". Y Menéndez extendió las manazas fornidas y emocionadas —¿cómo puede notarse que un par de manos esté emocionado?, pero estaba—, y una voz alertó "la gorra no, don, es mía", y Menéndez murmuró un "¡coño!" festivo y hasta sonrió y se quitó el sombrero de ala; era domingo, y trasvasaron los huevos y chau. "Chau, don" y al trote rumbearon al potrero, sin ninguna sensación de haber hecho algo que era tanto, haberle dado emoción al Gallego, un respeto, corrección, sencillez, admisión sin pasaporte, tanto.

Hasta media docena de huevos.

El Canchero de La Carreta había hecho el último viaje de conchilla, que el camión había amontonado en la vereda, y él, meta pala, desparramaba montículos en la cancha de bochas, "linda conchilla, buena, bien cernida"; luego vendría el desparramo cuidadoso, una buena regada para que se asiente, y por fin el pisón, un rodillo de hormigón de quinientos kilos, "que te la deja como paño de billar". Y dejó junto a la canilla la carretilla chirriadora y de chapa picada pero que "pa' transportar, da" y entró a baldearla, fregarla con la escoba —"te voy a dejar como nueva"— y calentó en la parrilla choricera un tarrito de grasa y embadurnó el eje, el único eje —era de una rueda—, y la puso al sol "pa' que se seque y tome color".

Después la estacionó en la puerta del boliche, en proa, boliche y carretilla, rumbo al parque, junto a la pizarra del quinielero que esta vez no tenía números ni "hoy juega", solo "donasione aca".

Y ahí llegaron medios kilos de azúcar envueltos en papel y en papel envuelta la yerba suelta, con esa vueltita de almacenero baqueano que le juntaba las puntas y le hacía dar dos vueltas en el aire y quedaban las puntas envueltas casi en moñitas, como pa' trencitas de niña. Y llegaron botellas de leche, y algún tabaco —"lo vicio son vicio"—, y algo de carne, rabo "pa' puchero" y papa y verdura y fruta. Y Menéndez que va y deja ahí, bien calzada, la lata que fue de dulce de membrillo, con los bordes bien machacados, y los treinta huevos frescos envueltos en diario como copa de cristal en cajón de mudanza. Y cuando el transporte se llenó y lo que seguía viniendo se recostaba en la pared del boliche y alguien "quién lleva", se miraron y hubo un silencio de "pasa un ángel", y Menéndez "deja ya, yo llevo".

Y trajeado con el dominguero, el gacho azul gastado, tiradores y cuello abierto —nunca tuvo corbata—, cruzó, con la carretilla por delante, la avenida que separaba el Recreo La Carreta, rumbo a la tribuna América, que techaba el alto de los agrisados, que tenían encendida, desde la llegada, la hoguera de todos, con la olla grande que se trajeron del hospital siempre ahí para que no faltara caldo y alguna papa, y las latas de tropero, esas de aceite de dos litros, trabajadas por don Jacinto el Hojalatero, achatadas en una punta y con una lazada de alambre que se ajustaba en los bordes y se hacía trenza en el mango, para calentar el agua del mate. Y desde ahí vieron venir al señor, que tal parecía Menéndez, y hubo recelo hasta que vieron la carretilla desbordada y la voz: "los güevos son caseros, ¡coño!".

"Deje, don, acá hay gente que se ocupa". Era el Negro de la Mirada. Tenía un delantal de bolsa y empuñaba un cucharón de mango largo. Cocinaba.

Menéndez había comenzado a descargar, pero unas mujeres, respetuosas, comedidas, cuidadosas, aguardaban la disposición del Negro para aproximarse, no hasta la carretilla y el Gaita, hasta ahí. Sabían del temor al contagio que tenía la gente y no la querían espantar, agredir, no. Aguardaban. "Conozco, señor", dijo Menéndez.

"Al aire no ataca". Y reculó unos pasos para que las grises descargaran los productos con orden "esto va pal' rincón de allá", "la leche con las otras", "tabaco pa' los hombre". Luego pasaron un paño empapado con alcohol, del blanco, de enfermería, que se habían traído.

"Vaya nomás", dijo el Negro de la Mirada. "Se agradece". Pero cuando Menéndez echó mano a la carretilla, el Negro: "Deje. Un servidor la lleva". Y entregó el cucharón como fusil en cambio de guardia y aferró los brazos del transporte. Y ahí marcharon, el Negro, la carretilla y Menéndez, de poco hablar los tres, pero algo se dijeron.

"Mire, don, yo sé que usté puede. Pero una vez está bien. Si va y viene, la gente, no la de acá, la de allá, le va a pegar un paso atrás; si viene mucho, puede contagiar. Si hay otro viaje, usté me chifla. Yo voy. Y gracias, don. Muchas gracias".

Y la rueda, engrasada y todo, algo tuvo que chirriar.

Las hogueras cuidadosas de chilcales y tártagos, yuyales que el Gallego encendió una vez, parecían señales a los dioses o a los bomberos, como anotó Gutiérrez, el Macho, que levantaba quinielas en el boliche y los fines de semana encendía la parrilla choricera. La cuestión es que

Menéndez limpiaba los terrenos, uno por vez, y permanecía junto a la hoguera hasta que solo fueran cenizas, que desparramaba, "no vaya a ser que quede algún rescoldillo, ¡coño!", desparramo que, según sentenciaba, "abona la tierra". Luego le entró a punta de pico, doblado, como los campesinos de Van Gogh, instalando en cada agujero dos o tres granos "que si uno no prende, el otro sí", y a mano rejuntaba la tierra y tapaba, sin apisonar —la tierra tiene que estar suelta—, y con la regadera que le habían abandonado los compañeros de la cuadrilla —que así los llamó cuando vio que le dejaron tanto, "compañeros de la cuadrilla"—, entonces ofrendó el estímulo del agua, "para que crean, los pobres granos, que está lloviendo".

Los vecinos pensaban que el Gaita se había pirado, expresión que, sin saberlo, venía al pelo, porque pirado viene de pir, fuego, piromaníaco, que era lo que veían en Menéndez, pobre, mire cómo lo dejó la guerra.

Hasta que un día amaneció aquí y allá, en la otra cuadra y frente al Recreo, un verde tierno, tenue, parejito, que la purretada pensó "lindo pastito pa' cancha e' fúbol", y el Gallego "cuidadito" y no necesitó más, ni perro ni vigilante ni alambrada, a buen entendedor. Y el Gaita les cuidaba el potrero, que ese sí tenía tejido, que les ajustó hasta el agujero por donde se entraban al campito, agrandándolo un poco, no mucho, y cerrando las puntas sueltas del alambre "que lastima, infesta, y luego la mamá..."

Al atardecer del día de los brotes, que debería ser escrito El Día de los Brotes, se trajeó, no sin antes afirmar a puntadas rudas un botón de la chaqueta que "se bambolea". Y clavaba la aguja con rabia y pena porque le traía recuerdos, estas cosas no era él quién las hacía, no.

Y ya junto al mostrador, serio pero no hosco, alguno que otro dejó caer alguna que otra frase, aguda pero de respeto. "Este pastito se lo desayuna el matungo del viejo Pérez"; "mire que acá somos de la carne, Gaita"; "¿pensó en las hormigas?".

En tanto, Menéndez nada. Vino va, vino viene, vertical junto al mostrador, la registradora a su derecha, bochinchera; a la izquierda, contra la pared, casi como ornamento de un equipo glorioso de Peñarol, colgaba una ristra de longanizas de piel reseca, avejentadas por fuera, arrugadas, pero a punto en los interiores. "Píqueme una. Y pan". Menéndez iba a cenar "afuera".

La barranca del parque que daba frente al campamento de la América se había convertido en tribuna. Más que tribuna, a pesar de su altura, en talud. Ese territorio de hinchas pobres, que va en declive hasta las alambradas altas que los separan del "field", que no tiene asiento pero en cambio tiene, eso sí, una entrada de bajo costo. La gente, entonces, el barrio, los miraba desde allí, sin arrimarse, pero depositando su solidaridad en la carretilla de la cancha de bochas, que iba al tope y venía liviana, que Menéndez la cruzaba y el Negro de la Mirada la recibía, como relevo de posta, y tanto cruzaba Menéndez que alguno dijo "ahí va el cruzado" y, al pie, "vete a la mierda, ¡coño!".

Había una gran expectativa. En pocos días Uruguay-Perú inauguraba el Sudamericano y ahí, con ese campamento, no se arrimaba ni Cristo, que fue atento con los leprosos pero nada dicen las Escrituras de los bacilares. Nombre mucho más respetuoso, que preferían los afectados; nada de "tuberculoso" o "tísico", más familiar era "palmado", pero "bacilar" tenía una suavidad de vals, sonaba a música bailable, tropical pero lento. "Pero que están jodidos, están", sentenciaba el Macho Gutiérrez. "Llamale como quieras". Y anotaba el 48 a la cabeza con el 84 en diez, número fulero, "il morto qui parla", y todo porque ya había tomado posición la policía, a uno y otro lado de la tribuna, que de un lado hacía esquina con la Amsterdam y en la otra con la Colombes, de gloriosa memoria deportiva.

Un comisario, altoparlante en mano ("mirá qué clarín pa' tropa", observó el Paisano Rivas), se dirigió con su séquito a la barranca, abrió brecha hacia la cancha, y apuntando hacia el grupo gris acampado, aplicó la boca al instrumento, que era de aire, no más, y sus primeras palabras fueron "probando, probando, uno, dos, tres, probando".

Los grises venían del hospicio. Uno no entiende bien por qué "hospicio", pero aunque suena a sinónimo de "hospital", deja la sensación de ser menos. Y en este caso es menos, mucho menos, hospicio que hospital. Corredores umbrosos, monjas de cofia, médicos de blanco, enfermeras gordas, visitas a través de un vidrio, salas colectivas, camas de hierro y colchones de estopa sobre alambrados romboidales, chirriantes, crujientes, bochincheros. Y cosa curiosa: médicos y enfermeros no usaban tapabocas. Las monjas, sí. Ellas asistían, consolaban, llamaban al Padre para la extremaunción, rezaban. Para rezar se quitaban el tapaboca; y estos eran tan escasos que ellas mismas los confeccionaban aplicando el molde y recortando las bolsas de harina, bien lavadas. En algunos quedaba colgado algún fragmento de letra, algo de "h", por ejemplo, o una "a" plena, empalidecida por el lavado.

Las familias traían fruta. El hospicio distribuía, en el almuerzo, una naranja por cabeza. Algunos, que necesitaban, como todo el mundo, un buen trago cada tanto, cooperativizaban el postre. Entonces secuestraban un par de baldes de lata, fajineros, y allí iban a dar las naranjas partidas, cubiertas por todo el azúcar que pudieran negociar en la cocina, digamos que por un cigarrillo rubio, que eran palabras mayores. Cigarrillo y rubio, mirá vos. Venían en cajas de a diez y de a veinte, se podían comprar sueltos y, cosa curiosa, en la cantina del hospicio. Los había Sheik, con una especie de Rodolfo Valentino con turbante; Richmond, que suena a universidad inglesa, con "campus", saludable, y otras marcas, más o menos terrajas, como para hospital, digamos hospicio.

Solían agregarle, a los baldes de combustible, algún alcohol blanco, excedente del que se mandaban en seco: vodka. El que más utilizaban era el que se pasaba con algodón a los pacientes que no tenían levante, y que había que higienizar en la cama, tarea de enfermeros, porque las monjas no podían llegar "a las partes". Ese alcohol en algodón usado, se sustraía de la papelera y era exprimido en el licor naranjero.

"No pasa nada", murmuraba el destilador. "El alcohol mata todo".

"Mi amiga ha consentido la toracoplastia. He ido a saludarla antes de almorzar. Está decidida pero su moral es muy baja. Me ha hecho un extraño efecto hablar con alguien después de casi un mes de silencio y de soledad. Le he dicho cualquier cosa y me ha causado un inmenso placer.

*Hoy ha debido recibir muchas visitas, pues aquí todos viven con el espectro de la toracoplastia. No solo es una mutilación, sino también una tortura: el paciente está sentado a horcajadas sobre una silla, con los brazos sobre el respaldo, mientras le sierran las costillas, con anestesia local únicamente, porque la anestesia total está contraindicada. Es como si estuviese en los primeros palcos para oír cómo la sierra muerde sus propios huesos. Y lo peor es que nunca se sabe cuánto durará eso: la operación se hace en dos o incluso tres tiempos. No se pueden cortar demasiadas costillas de un solo golpe"**.*

Cada maestrito con su librito y cada internado con su mate. Resolución que no tenía efecto práctico, porque no había contagio que evitar; todos los bacilos eran iguales, unos tenían más, otros menos, alguno estaría más tomado que otro, digo de bacilos; pero la medida dejaba satisfecho al director, que podía declarar "hemos tomado las medidas sanitarias correspondientes, la situación está bajo control".

Crecían, entonces, en un patio interior, con plantas, algunos bananos carnosos, elevados, que daban cachos que solían cortar por ansiedad y hambre antes de tiempo; también había una fuente con angelitos, que no funcionaban, ni los angelitos ni el chorro, que nunca se vio, y era un agua turbia, donde flotaban los puchos hasta deshacerse y la yerba, castigada de agua por días, volvía al elemento que la había exprimido, y no faltaba el que dijera "andá, terminá de lavarte". La monja jefe recomendaba el patio, "vayan, vayan, allí hay como un aire, saluden a la Virgencita". En un nicho, protegida, había una pequeña María, pintada como una reina, las manitas juntas y mirando hacia abajo, por pudor, impotencia, vaya a saber. Tal vez la pusieron así. Un modelo.

Así que tabaco, un trago, algo de yerba y aire de patio, había. También camas, de alambre, sí, con colchones como bolsas, pero había.

Con lo demás era otra cosa. Churrasco y medicamento, ni pa' remedio.

Y eso trae mal humor, bronca, ideas sediciosas.

Acción.

"No hay como el hambre". "Pior es la sé". Se habían sentado en el murete de la fuente del patio. Filosofaban. El Negro de la Mirada y el Castillo. Le decían así, el Castillo. No por lo grande, no. Porque se llamaba así, así era su apellido, el nombre no sé, pero como todos tienen sus alias —el Flaco, el Tuerto, Pijilla, el Loro, el Papilla—, no lo iban a maltratar al hombre como si no tuviera. Todos tienen. Y si no tienen, se hace. Así que Castillo a secas pasó a "el", que ya es otra cosa. Mateaban juntos. Total, abichados los dos...

El Castillo había estado preso por ladrón de gallinas y otras pertenencias. Una vuelta se las llevó todas pero dejó el gallo, y un cartón de caja de zapatos ensartado en la alambrada de púas, que decía: "me dejaron biudo". Pero se le dio la mala en la seccional, apretada por el superior por algunos faltantes en la zona cuyo autor no aparecía. Y el sargento, que de pronto tenía que ver, lo quería ensartar al Castillo con delitos ajenos. Y él nada, "eso, yo, no", y lo tenían que apurar y apuraron para cerrar el caso, que el comisario exigía, y dele, y fue entonces que le cortaron el agua y aguante el plantón.

"Mire, don", dijo en el diálogo de la fuente, "usté al hambre la va llevando, se masca el cinto, las uñas, pero aguanta; eso sí: lo decae, no hay ganas de nada. Pero la sé es otra cosa. Primero la puntada acá, en la boca del estómago, lo atraviesa, la boca como chicle, húmeda pero seca; ¿entiende?, la lengua lenta, pegajosa. Y la vejiga, don, seca, con algún chorrito de nada que no remedia". "No me duerma el mate". "Disculpe, sirvasé; le cuento cómo zafé, mire. Llamé al guardia pa' decirle que tenía algo que decirle, y él 'ah, aflojaste, matón', y yo 'mire, soy tísico, me da agua o lo gargajeo'. Y el milico dio un paso atrás".

"Ajá", dijo el Negro de la Mirada, como tomando nota. "¿Y de ahí?" "P'acá. Ni se sabe lo que gastaron en creolina pa' normalizar el calabozo. Ahora fijesé, yo era un hombre salubre, una tos de nada, el tabaco, y chau. Pero acá me bañan, yo abría la boca a la ducha, me revisan, diga treinta y tres, a ver escupa, y había como un hilito colorado de nada, mire, y dijeron tiene, placa va y meta leche y me salió redondo lo del afane, con perdón de la confianza, había sido yo, y aquí me tiene, biaba no dan, ¿vio?".

"Carne tampoco", dijo el Negro de la Mirada. Y le devolvió el mate. "Ta' frío".

El Negro de la Mirada hablaba de otra hambre. La de ahí. Ahí, donde churrasquear jugoso era prescripción médica, no veías un bife ni con receta. "Y los enfermos, sabe, se quieren curar, y un hombre mal puchereado, no pelecha, ni su salú". Estaba hablando para adentro. Afuera estaba solo, trillando. Tiempo después, escondido o acampado o las dos cosas, en territorio del Gallego, le oiría hablar de otra hambre, pero que los dos la trataban como mujer, "la hambre". El Gallego decía "la hambre". Pero eso fue después. Ahora estamos aquí y hay que hacer algo. "Con fideo, alguna papa y leche, usté no recupera a un palmado; hay que rastrear la carne, que uno la ve venir pero después no llega ni sale, ve, y ahí viene tintineando el camión con los tachos que hay que cargar de a dos, que la leche es lo mejor, dicen".

El Castillo se quiere ir. Dejó mujer, que "trabaja", y la nena, Virgen de Lurdes, la Lurdes, Virgen de Lurdes Castillo. Ocho años. Vende cande. "Los cande suizo, a los ricos cande suizo, tres por un real, a los cande, una ayudita para mamá, a los rico cande". Así dice. "Acá los mandaron buscar para revisar, por el contagio, vio, pero qué van a venir. Si vienen acá se pescan la porquería. Por eso me quiero ir, me voy. En cualquier momento".

El hospital tenía un pequeño taller de soldadura. Los jarros y platos de hojalata dos por tres se perforan por desgaste, y ahí era el enchastre. Pero más enchastre provocaban las escupideras, que a diferencia de las que lucían en las salas de espera ministeriales, no venían enlozadas y con guardas y flores, primaverales. Pero el sistema era el mismo: un recipiente circular con otro que calzaba dentro con un orificio, de tal manera que si uno escupía, el esputo se escurría al fondo, fuera de la vista. No faltaban en los hogares, y solían, en caso de resfriados o gripes, tenerlas en estado de alerta bajo las camas, junto a la bacinica con asa, que no es cuestión de levantarse a cualquier hora en ese estado. Escupir era bueno, aliviaba el pecho. Pero claro, no en cualquier parte. En la calle era aceptado, no hacia la vereda, más bien en la calle, como para que el transporte se ocupara de triturar los bacilos. En el transporte colectivo, ni hablar. El cartelillo alertaba: "prohibido escupir", hasta que con el tiempo fue sustituido con el buen hablar y teníamos un "prohibido salivar". También teníamos en el Mercado viejo, por Reconquista, un mural oscurecido de tiempo, donde se alertaba contra perros y escupidas. Era regla en el hospital que, en los tiempos en que la economía lo permitía, cada maestrito con su librito y cada internado con su escupidera; que debía, él, custodiar su higiene. Para ello disponía, en una pieza anexa a la lavandería, de una cocina a leña donde se calentaba el agua de la desinfección y un par de botellas con pico de botella de grapa bolichera, para el hipoclorito que daba al hospital ese aroma que lo delataba desde la entrada, como ese hálito cálido que al alba exhalaban las panaderías, solo que acá venía frío, hipocloritado. Cuando después de diez años de uso entraron a perforarse y no había recambio, se armó el tallercito que propuso un internado hojalatero, Jacinto. Don Jacinto. Él hizo traer de su taller de afuera dos o tres herramientas mínimas y entre una cosa y otra se sintió como abriendo sucursales, porque también le llegaron trabajos extras, calderas, sartenes, que muchas veces el personal traía de sus casas, porque con Jacinto salía más en cuenta. Jacinto, viudo, cincuentón y siempre con barba de tres o cuatro días aunque recién se afeitara, tenía un hijo que le manejaba el taller central y los domingos le traía fruta y las cuentas.

Jacinto, el Hojalatero, tenía una enamorada: Mariela, la Rodríguez. Mariela Rodríguez, conocida por la Rodríguez para no confundir con Mariela, la Nurse que, como ella, era, al decir de los delicados, "oscurita".

A Mariela la trajo al hospital "la señora", muy buena, ella. Mariela era "doméstica". "Le traigo a mi doméstica", dijo la señora al doctor. La señora era buena, pero buena-buena. Le había tramitado el Carné de Pobre, lo que le daba acceso, sin más trámite, a la salud. No es que fueran con un carné al mostrador y le dieran salud, no, no, Mariela, no es para eso. Es para que te revisen, digas "treintaitrés", te curen. La señora tenía otro lenguaje: Mariela expectoraba, a lo sumo esputos, nunca gargajos. Flemas, en todo caso.

La Rodríguez era un pan. Tal vez hoy por hoy dirían "capacidad diferente". Pero no. Era diferente porque era un pan. Buena, dispuesta, tanto que, aun estando "en estado delicado", ella le pasaba el trapo a la sala, porque "para mí no es nada". La señora le hacía llegar hasta queso. Era el de rallar. Pero queso. Buen queso. Y venía con otras cosas, los domingos, que alguien traía, "no sé quién, con el auto, digo yo", que incluía manzanas y una esquelita con buenos deseos: "salud, dinero y amor". Alguna que otra vez, galletitas "María" y un ramito de "siemprevivas".

El romance con Jacinto el Hojalatero comenzó con un pedido, muy humilde. "Perdone, señor". "Diga". Fueron sus primeras palabras.

La Rodríguez tenía un jarrito al que le faltaba el asa. Había sido descartado para la leche porque se quemaban los dedos, pero por falta de escupideras le tocó eso: jarro. Pero como la Rodríguez era de limpiar, cuando lavaba el jarro de escupir, se quemaba más que con la leche, que se podía dejar entibiar. Así que le fue a Jacinto, con humildad, a gestionar un asa para el jarrito.

Lo que son las cosas. Thomas Mann, en *La montaña mágica*, enamora a dos pacientes, tísicos, como Jacinto y Mariela. Ambos tienen en su mesa de luz (porque ese sanatorio era de lo último) una fotografía del otro. Él la de Ella. Ella la de Él. Pero no eran fotos: eran radiografías.

La Rodríguez y el Hojalatero no daban para tanto. Pero el asa del jarrito la recibió Mariela con el nombre grabado: "Mariela", y daba no sé qué escupir en eso.

Y Jacinto tuvo, en reciprocidad, su prueba de amor: un cacho de queso duro, de rallar, con la cáscara meticulosamente raspada y no cortada, "para que no se pierda nada".

"El alboroto se armó por los diarios. Diarios, ahí, no venían. Pero alguna fruta, o en la yerba que traían los deudos de los enfermos, la familia, ¿entiende?, venían hojas enteras y nos tirábamos al fóbal. Y por ahí apareció la noticia, el jarabe, había aparecido un jarabe, no acá, en Alemania, Jarabe Prost, que en tres semanas, a cuatro cucharadas soperas al día, después de cada comida (se ve que en Alemania comen cuatro veces al día, acá había que aumentar la costumbre), te dejaban pronto, así decían. Era un profesor Herr no sé qué, pero ahí estaba, tres frasquitos y una churrasqueada y no te decaías más, ni tosías, y volvías con la familia, chau fiebre y andá a contagiar a la puta madre que te parió. Y ahí fue que tuve que cargar una vuelta los tarros lecheros vacíos de vuelta al camión, pero que pesaban más que llenos, y les hice un alto por la fatiga y les abrí la tapa y estaban allí, las culadas de carne en tarros que entraban con leche y se iban los envases forrados en churrascos. Y andá a parar a los cien y pico de internos, que entre la esperanza y la bronca, y algo había que hacer".

"Usté ve ahí los cien y pico y están parejo". La flaca preñada, el viejo que fue capataz de campo, el cantor de boliches, la agüela. Todos iguales, callados, la túnica más grande, más chica, nunca al cuerpo. El cuerpo que no se ajusta a esa mortaja, se resiste; se le achica, sacando el cuerpo; o la estriñe, como para reventar. "La luz se ciega y nadie quiere morirse". Se mueven lento, caminan lento, duermen, entre tos y tos, lento. No se levanta la voz, no hay aire. Se habla poco, no hay aire. No se canta, ¿de dónde, aire? A veces uno silba, poco, y si se tararea es a boca cerrada. Para entrarle a cada uno hay que venir con el bisturí de la morgue, entrarle al sueño de cada cual, al pensamiento, a la familia embroncada porque uno se enfermó y andá a contagiar a otro. Por eso cuando saltó el jarabe del alemán y la bronca carnicera de los tachos, aquello reventó.

Se veía más color en las mejillas, "se les ve mejor", dijo la monja de la cofia. El andar más agitado, los diálogos se picaban y hasta la preñada entonaba valses criollos que le enseñó el capataz, que gustaba de ella, y el guacho en la panza se acunaba con "blanca palomita que pasas volando rumbo a la casita donde está mi amor". Y las autoridades se entran a alarmar y hubo comisión investigadora y administrador en la cuerda floja y otro del personal inferior, muy inferior, que lo de la carne no era todo, también había la miel que suaviza y nunca se vio y el dulce de membrillo que postreaban los domingos y eran hojillas de dulce y sin queso, algún domingo sí, una fiesta patria lo mismo, porque alguna horma quedaba por si las moscas o la inspección. Y a todo esto se sumó el raje de Jesús, el Garrapiñero, que se le estaba herrumbrando la caja de metal, que cortaba el viento de las esquinas para que el primus no se apagara y en la sartén freía el maní acaramelado que embolsaba a cuchara, a la vista del público, a medio la bolsa chica, a real la gorda, y meta soplar bolsitas de celofán que a dedo no se abren y ahí se encilindraban de aire y caía allí, tentador, el maní crocante envuelto en un dulce averrugado, rojizo. Y Jesús no tenía el alta y ahí andaba en Dieciocho y Andes, "hay que mantener la familia", y el director, señor director, que se inquieta pero no dice, está la investigadora y los grises activos y andá a saber en qué termina esto, cuando el Castillo, con un cacho de diario de ahora, va y dice "se inaugura el Sudamericano, che, está bueno pa' ir".

"El Doctor no anda con rodeos. Corta dos o tres costillas, desbrida la herida, pone al descubierto la caverna y la mantiene abierta durante unos meses para poder cauterizar con nitrato de plata los infiltrados, dos o tres veces por semana, hasta que se hayan quemado todos los tejidos necróticos. Eso deja a veces en el pulmón un agujero como un puño, pero no me disgusta la idea de hacer una guerra sin cuartel a esta lepra tórpida que roe en la oscuridad.

Sin embargo, creo que lo más sensato sería esperar hasta la primavera.

*Los que van a ver al Doctor son los que han sido abandonados por la medicina tradicional, y yo no he llegado todavía a ese extremo"**.*

"Gardel. ¿Te das cuenta? Si comparás con este tordo, el doctor Prost es Gardel. ¡Ah! Y dicen que el jarabe te lo da en copitas, como al mostrador".

El Paisano Rivas era un hombre de trabajo. Metalúrgico. Pero fue de campo, alambrador, tropero. “Trabajos muchos pero oficio uno: hombre de campo”. Pero ni tanto ni tan poco. También era hombre de la noche pueblerina, en los tiempos en los que en cuantito terminaba la esquila, la peonada zafrera caía con el cinto gordo y ahí comenzaba otra zafra, también de esquila. Al quilombo del pueblo le llegaban refuerzos y al boliche, damajuanas de caña blanca brasilera, combustible, que trasvasaban a las botellas vacías con etiquetas y eso era otro precio. La atracción era el casín. Esas bolas de pasta que rodaban trabajosamente sobre un paño aquí y allá zurcido y con un verde gastado, que le daba un aire de vejez, humildad, decencia. Invitaba a jugar.

El Paisano jugaba de botas. Las mismas que calzaba los domingos para ir al boliche del Recreo La Carreta. Él no era de la bocha ni del naipe. Él observaba rodar las bolas, en pueblo y acá, sonreía, largaba frases “mire qué golpe, caray, por una teta no fue vaca”. Y sonreía bajo los bigotes negros, aguardando, ofreciéndose para manejar la pizarra; daba confianza, era como el paño pueblerino, irradiaba humildad, decencia.

Por ahí se mandaba una frase de tres bandas, dirigida al bolichero: “otro vermú, don Ramón, que ayer cobramo y las chirolas me cosquillean". Y no había más que dejar pasar un rato, levantando el meñique en cada beso al vermú, para que alguno de los que anclaban por ahí en tránsito, los domingos de partido, sabedores de que en La Carreta se timbeaba hasta por el tiempo que ponía un parroquiano en comerse el chorizo, le largara al Paisano, chanza va chanza viene, "usté de tanto mirar debe ser baqueano en esto". Y al gesto del Paisano, que mostraba los dientes y reclinaba la cabeza como quien dice "y...", entonces aceptaba. "Es domingo..." Eran los mismos parlamentos que en el boliche pueblerino, y allá como acá, el chambergo gris que de espectador usaba con el alero levantado, la frente noble, trabajadora, al aire, tomaba ahora una posición horizontal, hasta sombrear las pupilas.

Los que estaban en tránsito se miraron, bajaron la vista, no llegaron a sonreír, no precisaban, y uno dijo "anoto yo". Y el otro, "¿por cuánto?", y el Paisano: "Lo que guste... Es domingo".

Menéndez se inquietó. Rivas era un buen hombre, sencillo, de trabajo. Los otros tiraban a malandros. "Foiones", diría el Gaita. Y fue uno de ellos que va y le dice "a usté se le ve muy gente", y dirigiéndose a Rivas: "¿No, don?". Y quedó depositario de una apuesta, "mucha plata, ¡joder!" y, para sí, "lo despluman, ¡coño!, pero es hombre grande".

Era el pueblito donde los zafreros dejaban jornales al mostrador, la timba y las muchachas, donde Rivas, con las mismas botas y los tiradores elásticos de banda ancha, con el chambergo sobre los ojos y la frase incauta: "sirvamé otro vermucito y para el que guste", luego le murmuraba a alguno, para que oyeran todos: "vendí un ganadito en la feria". Lástima que los zafreros, los más, volvían al año. Y al año fue lo de la puñalada, que le cuidaron las muchachas, una, la Lucía, que le recomendó "con esas manos, don Rivas, vaya a la capital".

Las manos del Paisano estaban muy cuidadas para ser alambrador. En el meñique de la derecha tenía una uña en punta, dura como la puta madre, "pa' la oreja". Y en la otra, en el meñique siempre, el anillo pesado de piedra colorada.

La Lucía le cerró la herida con enjuagues de yerba carnicera, y lo tuvo en la pieza que, como todas las del quilombo, estaba en hilera al fondo, contra un muro, y el cuerpo bailarín y tomador del prostíbulo, al frente. No lo dejó volver a su rancho al Paisano, porque el achurero se la juró cuando los separaron, y temía que le cayera con otros hombres de su cuadrilla zafrera y con un litro de caña brasilera en la quincha; "a don Rivas me lo achicharran". Así que la Lucía no atendió por unos días; la madama dijo, a la clientela que la requería, "anda enferma, no es de cuidado, pero enferma".

Rivas le tomó cariño. Y cuando bajó a la capital, la trajo, cada cual con su maletita de cartón enchapado en las puntas. Ella se conchavó en el quilombito de la Cristiana, a media cuadra del Recreo, y Rivas, con el capital de sus manos y su cara de paisano bueno y bobo, a bolichear, desplumando incautos, él, maestro del casín y las tres bandas.

Tenía el hospital una sala con pisos de baldosones en tablero, y alternaban, en blanco y negro, las baldosas relucientes los domingos, de la mano de la Rodríguez, que ahí venía la visita. Tenía ventanales hacia la fuente de las meditaciones y sobre la pared algún cuadro afín al establecimiento, cuadros que enmarcaban, con ilustraciones, la evolución de la Medicina en el tema que allí se trataba y, al fondo, una cruz labrada en plata, donación de la Comisión de Damas en apoyo de la salud, un altarcito, velas. Contra la pared, bancos de madera, largos. Allí se sentaban enfermos autorizados y los parientes visitantes.

Una de las láminas enmarcadas mostraba al rey de Francia, Enrique IV, posando las manos sobre un arrodillado, mientras que una ronda de pacientes en igual posición aguardaba turno. Por detrás se veía una multitud, gente con casco, muchas lanzas y, en primer plano, junto al primer arrodillado que recibía una mano del rey, un obispo barbado que era el único del cuadro que miraba hacia la cámara, también con una mano sobre el paciente y con la otra en actitud de señalar la cola de los esperanzados.

Era de lo más visto. Y leído: "El Rey cura la tisis por la Gracia Divina". El grabado reproducía el tratamiento en grado de ceremonia. Unos veinte escrofulosos alineados, de rodillas, dentro de un semicírculo formado por la guardia del rey. "Yo te toco y Dios te cura".

Cuenta la historia que dio lugar a una gran disputa en el clero inglés, por aquello de que si el rey de Francia cura, por qué no el de Inglaterra; con lo que se abrió otro sanatorio.

Cuando un internado le pregunta al Castillo, que sabía leer, qué puta quería decir lo de las escrófulas, muy conocedor, el Castillo, va y le dice, como al desgano: "escrúfulos". Que era cuidadoso, el rey.

Las historias tenían la ilusión de ilusionar, de ahí que las monjas, divinas, junto a la capilla, solían leer milagros.

"El Rey vio a una mujer toda hinchada de escrófulas supuradas e invadidas por gusanos. El Rey domina su repugnancia y toca el mal a 'manos llenas', tal vez con demasiada vehemencia, pues la piel se agrieta, los gusanos se mueven en el pus. Los tumores se abren y el dolor desaparece".

Y es cuando Jesús el Garrapiñero va y le grita a la monja que lee, desde el banco donde acomodaba la fruta y el dulce de membrillo que la familia le trajo: "Ta todo bien, hermana, pero estamos comiendo".

Y de pronto en los baldíos, que eran más que los terrenos ocupados, muchos más, aquel pastito inicial dejó de gatear sobre la tierra y entró a pararse. Cada cual tenía su tallito, y una hoja para aquí y otra para allá, y hubo extrañeza.

Las vecinas miraban, admiradas, lo que ya sabían. Todas, e incluso sus maridos, habían pasado por el experimento escolar de guardar un poroto en un frasquito, entre algodones húmedos. Sabían, por experiencia propia, lo que era la germinación. Y sin embargo no salían del "mire usté", curioseando por entre las mallas herrumbradas de los alambrados. Impresionaba. Porque aquello se descolgaba del barrio, que un barrio tiene almacén y panadería, potreros y verdulería, mercería; tiene un zapatero remendón, don Pedro; tiene cuadro de fútbol. Pero campo cultivado, no. Y empezaron a tener el gustito de verlo, "que el de aquí a la vuelta está más alto", y "en la esquina falta agua, Menéndez", "mire qué parejito, vecina", "¿y dará choclo?". Y el Paisano Rivas, al paso, suelta un "de pronto zapallo, uno nunca sabe".

Menéndez las recorría. Lo primero que notó fue el respeto. Pero, a lo que crecían, "¿no halla que es mucho pa' un hombre solo?".

Al viejo Pérez le negoció la bosta. Del matungo. Pérez compraba en el mercado agrícola alfalfa a granel, y lo demás era hacer fardo y recorrer la clientela, carreros la mayoría, un tambo de dos lecheras, el herrero. "Muy sacrificado, el animal", dijo Pérez, con cariño. "Lástima de terreno chico: me lo caga todito, mire". Fue cuando Menéndez le mostró lo que había confeccionado con un mantel de hule, rescatado de un tacho. Y tal cual. Parecía de medida, le calzaba justo, embolsaba. Menéndez le ofreció en canje los maizales, una vez cosechada la mazorca. Y el viejo Pérez, rengo como él solo por una rodada en yerra, le sentenció, como tirando la frase: "No negocio con mierda". Y dándose media vuelta, "lleve, lleve".

¿Que de dónde le venía esa camaradería con los tísicos? Hombre, en la Brigada, todos, unos más, otros menos, poco otros, nada alguno, pero por poco tiempo. Tal vez al borde del tiempo que le cerraron, cuando tuvieron que emigrar, es que pudo esquivar el turno, o el turno no lo encontró porque ya no estaba, y unos iban para aquí y otros para allá, y los que se quedaron por ahí se encontraron con la otra guerra, la europea.

"A los camaradas los están encerrando. Cuidado". Y era que había llegado la caballería de sable, infantes de uniforme azul o por ahí, desteñido, y una elite con perros, a los que traían corto, y más elite, con máscaras al cinto. Y estaban tomando posición, cuando don Pedro, el Remendón, le muestra el título del periódico, "se inaugura sí o sí", dijo el ministro.

Jesús, no el Garrapiñero, el otro, les daba línea, por algo eran monjas. La imposición de manos, la cura de Magdalena por medio de ese tratamiento, la del leproso, incluso resurrecciones, levantaban en mucho las expectativas. La Rodríguez era una, que quería a su vez convertir a sus convicciones al enamorado Hojalatero, que le había salido medio contestatario, anarco, ateo, esas cosas. Pero la Rodríguez, paciente. "Tenés que creer". Y él se atacaba, y meta tos, y ella, "ya ves".

"La intervención más espectacular de Eduardo el Confesor fue en una ocasión de acercársele una muchacha joven, que se quejaba doblemente de escrófula y de esterilidad. La mujer manifiesta al Rey cómo, en un sueño, le han sugerido la idea de pedir su soberano

concurso. Y el santo varón no se hace rogar. ¿Cuál fue la virtud del santo contacto? En menos de una semana la enferma quedó curada y, antes del año, la joven convaleciente parió dos mellizos". Dos.

Y después de leer trabajosamente la cartilla que, para dar aliento, las hermanas distribuían, la Rodríguez le comenta, "en menos de una semana".

La Rodríguez no tenía hijos. Una sobrina, nomás.

Cuando los días entraron a caerse del almanaque, Menéndez, que era parsimonioso, nunca lento, tanto para el trabajo como para el pensamiento, comenzó a estructurarse un estado de situación. Los primeros tiempos era medio ermitaño, en su casilla de lata que poco a poco fue forrando con cartón aquí, arpillera allá, que hace frío, ¡coño!, hasta que entró a ampliar el horizonte, primero con las incursiones al boliche, que desde la proa le dieron la perspectiva de esa Sierra Morena, el parque, que a distancia se veía como monte abigarrado, arboledas cerradas que de cerca tienen, en la superficie, un sistema circulatorio de calles, senderos, hasta avenidas. Luego su recorrida, inspección territorial catastral; esa tierra es gorda, terreno sucio, basural, en fin. Buen ojo para evaluar lo que esta tierra da, que no da lo que da esa otra.

Pero se fueron trenzando, en sus días, los nativos. Él había llegado a un barrio, un mundo, un nuevo mundo, una sinfonía, que ya estaba habitado. Habitado antes que él, que no por él, que muy común es que uno crea que todo o el todo es a partir de uno. “La mujer, ¡coño!, cuando la ves, ya viene de antes”.

Su continente ya estaba poblado, y los autóctonos, que tampoco lo eran tanto, fueron tejiendo tela en su alma, el Rengo Pérez, la purretada de los huevos devueltos, el Paisano Rivas, tantos, muchos. Un pueblo.

Y ahí entró a ver que él llegaba medio baldío, o baldío a secas, nomás, con alforjas repletas de recuerdos, olvidos, guerras, muertos, hijos, vaya a saber, la mujer, una majadita, perro. Todo, todo un gran vacío. Todo de frente adentro. Él también era territorio sin cultivo, sin el cuidado de ese campo, que había que desbrozar, limpiar de porquerías, incendiarlas en una hoguera, regar, sembrar, regar, trabajar para una cosecha de frente afuera.

Desde entonces los hilitos del barrio le fueron armando la tela, que abriga, viste, se tiende en la cama, duerme con uno.

Y así fue cómo la vida del barrio lo fue habitando, y tuvo barrio fuera y dentro, y todo lo que no estaba en su lista de pedidos almaceneros se fue sumando; lo que no veía, lo que no miraba, lo que no tenía asociaciones con lo que fue y que le fue enriqueciendo lo que era; esas cosas que uno las pasa de largo, pero ahora, sin detenerse, lo iban invadiendo.

A saber, para Menéndez, el carnaval, nada. Pero esa construcción que se estaba fabricando en la esquina, casi en la esquina, a veinte metros de la esquina, espacio, territorio de una platea, a Menéndez ni le iba. Pero estaba allí, crecía allí, era un nacimiento, un muchacho que crecía por días, y él, de largo. Pero el registro de su crecimiento ya lo había tomado, y así fue registrando los bidones de doscientos litros, negros, abollados, pero bien plantados de cuatro en fondo, un cuadrado, un cuadro, firmes. Y luego los tablones, en préstamo —qué se iban a gastar, si era para caminarlos y bailarlos—, y el martilleo por abajo de los travesaños que afirmaban esa balsa que ya tendría su movimiento, y los clavos nuevos, largos, a los que se chupaba la punta para que entraran lubricados, como si la saliva fuera a facilitar la clavada, y de pronto sí, pero difícil, y los golpes retumbaban en los bidones vacíos que vibraban, y el "¿qué hacéis?", y el martillero "un tablado, don". Y pensó en el flamenco, que era gustoso del *cante jondo*.

Pero no todo es cantar y chiflar para la realeza, que si hubo Reyes Divinos que te ponían la mano encima y hasta parías mellizos, parejos hasta en el quilaje, dos seiscientos, también los hubo sufrientes, como Felipe II, conocido como el Prudente, y en los corrillos de Corte, "doliente".

"En octubre el cortejo real se detiene en el monasterio de San Jerónimo de la Espeja, próximo a Nájera, a causa de una prolongada enfermedad que le tuvo con un pie en el sepulcro. La enfermedad fue tratada con untos, y purgábasele en conjunción de luna, diciéndole que se haría quedito, que no pudiese saber, y extrayendo fuera el humor o veneno con ventosas sajadas por las correspondencias del corazón en la espalda o pecho que le acortaban el vivir, pecho donde habíanse instalado las escrófulas pulmonares, y las purgas eran tantas y tantas las réplicas, que se le fabricó un basso de plata con su pie y nudete, y en forma de cubilete, con una media caña que sube desde el borde de arriba, con pico largo junto al pie, todo liso, torneado, con un escudo de armas reales que se hizo de nuevo para tomar las purgas de Su Magestad, y de ahí que el Rey cruje sin cesar y se le ha soltado el cuerpo", y es cuando *"se le construye una especie de hamaca, de fácil manejo, que sustituye a las pesa-*

das sillas con ruedas, donde andando con palo solían instalarle para sus descargas de malos humores, y así que sus servidores, que evitaban el contacto de su cuerpo con sábanas y mantas, utilizaban veinticuatro sortijas de plata soldadas y engarzadas de cuatro en cuatro y seis garabatillos de pelo de plata, a manera de corchetes para asir las dichas sortijas. De esta manera conseguían que estuviese abrigado y el peso de las ropas no cayese sobre el cuerpo y los abundantosos humores".

"Así que usté no se me queje, don Jacinto, por una chata que está fría, es verdá, pero que el cuerpo la calienta".

Lo de Jesús fue bravo. No aguantó la internación, "esto es muy gris, ni membrillo dan". Era toda una síntesis, el membrillo tiene un rojo corpóreo, la textura de un cuartirolo, es mucho más que el flan, es estomacal y hepático; es dulce. Y era verdad. Las latas de membrillo se descargaban de la camioneta, entraban a la administración por la puerta del frente, y por la del fondo volvían, estibadas en una camilla y por arriba de boca abierta, las latas vacías, como quien se lleva el envase; pero, nobleza obliga: de la partida que se restituía al transporte, quedaban un par con contenido, que se repartían los domingos, cortadas a bisturí, porque al decir del Negro de la Mirada, "era cosa fina".

Tampoco lo tentó la espera, eso que se estaba cocinando con vistas al estadio; lo de la carne, ni ahí, "llega viva, da una vuelta y vuelta a andar; no muge de discreta". Ahora, lo del Jarabe Prost lo dejó dudando. Pero igual. "Te están tentando, Jesús", se dijo. Pero más tentación era el verse en una esquina, en el centro del Centro, con esa túnica blanca, tres cuartos, que evaporó de un perchero pero a la que le dejó el bordado azul sobre el dobladillo del bolsillo de arriba, "Doctor Bermúdez", que nunca la reclamó, iba tan poco, miedo al contagio, tal vez. Uniformado así, imaginate, en una esquina, no justo en la esquina, no, ahí hay corriente, más bien sobre la principal, de espaldas a la pared, a diez metros de la perpendicular, frente a la parada del tranvía. Y el comercio. Él era un empresario. Individual, sí, pero empresario. La mesa de tijera, transportable, se abría y cerraba así como así; se la había comprado a Giampietro, el tano pizzero, que se colocaba un rodete en la cabeza y arriba del rodete la bandeja plateada y "hay fainá, al rico fainá". Pero el Pietro se instaló en un garage y él le pagó a plazos la plegable, que sostenía, orgullosa, la reluciente caja metálica, limpia siempre, brillante, que protegía el primus del viento en un extremo, y en el otro el mostradorcito donde apilaba los paquetitos de garrapiñada "hecha a la vista", "a medio el chico, la grande a real", y la sartencita donde hervía el agua azucarada que acogía los manises, dijera Jesús, y los envolvía con ese color crepitante. Hay colores crepitantes, la brasa, un suponer, el faso prendido a todo vapor, de un tono atractivo, con relieves en un naranja oscuro que pedía diente. Y había que ver la solvencia con que revolvía los maníes en la sartén, acaramelando, y ni qué hablar la gracia con que con los dedos separaba una cilíndrica bolsita de celofán donde irían a dar, sin caer ni uno, los crocantes tibios al tubito transparente, también crocante, que inflaba con un soplido, que por ahí vino el problema y se armó la bronca.

Alguna vez que otra le dijeron a Menéndez que por qué no iba a misa. Porque por ahí, cerquita nomás, estaba la iglesia Tierra Santa, pegadita a una librería, Ariel, atendida por su dueño, y a su lado, el salón del barrio: Cine Teatro Metropol. Allí iban a dar todos. *Matinée, vermouth y noche.* Por sus pantallas pasaron todas las series, llaneros solitarios, Dick Tracy, Tarzán, todos. Era un gran salón con butacas pullman, que les saltaban los resortes por arriba y se sostenían a chicle por abajo.

Tierra Santa tenía un campanario alto, respetuoso, nunca sonaba los domingos antes de las diez. Tenía vitrales, franciscanos de dedo al aire y borlas colgadas, buenos vecinos, y el sol que golpeaba el bronce destellante antes que a ninguna azotea, por debajo de Dios, donde flameaban, a la brisa del alba, camisas, camisetas, calzoncillos largos. Tierra Santa era la Notre Dame del barrio. Lo único, que no vendía postales.

Nunca Menéndez se vio ahí, ni quien lo conociera podría suponerlo hincado, sosteniendo a dos manos el sombrero contra el pecho. Al que sí se vio fue a Sacucho, el cartero, que según cuenta Clotilde, encargada de la limpieza del establecimiento y el lavado de la ropa del personal, había ido a suplicar a la Virgen por un cargo administrativo en el Correo mismo, por ver si picaba; pero Menéndez, nada. Nada, porque por más que le hablaran de misa, sabían bien que el rezo venía por otros púlpitos.

Y era que los parroquianos de La Carreta, al verlo tan solitario, "solito", decía el Paisano Rivas, sin mujer, le tiraban líneas para que picara en el quilombo, que era como una casa de familia, nomás, con patio cubierto por claraboya corrediza, plantas —cretonas, helechos, muchas—, las sillas desparejas contra la pared, donde la clientela silenciosa aguardaba a ser llamada; acá eran todos los llamados y elegidos, todos, a lo democracia, nomás. Y Cecilia, tan viejita, tras la cancel, corriendo las cortinitas cada vez que asomaba alguien por la puerta de calle entornada, y era la que abría, con tantos años, viuda de un servidor, con una pensión que ni te daba para los pan con grasa que cenaba ahí, por las noches, y meta mate dulce. La cocina al fondo, con dos primus, y una heladerita que cargaba barras de hielo y cervezas chicas, que le ganaba un real, la pobre, porque las compraba en el almacén y el sobreprecio era por el hielo. Pero, así y todo, en verano cubría el presupuesto del bizcocho.

Dormitorios, tres. El más amplio, "señorial", diría Clara, que era el suyo, y que en otros tiempos supo ser "Clarita", que empezó de muchacha, en los días que se fugaba del Buen Pastor, donde la palabra del Señor algo le dejó. Era la propietaria. Le decían, en el barrio, la Cristiana. Era, durante el día, buena vecina, no se pintaba, y hacía, como cualquier hijo de vecino, los mandados en chancleta. Un pañuelo colorado le cubría los ruleros de papel, para estar linda por las noches.

Lucía de Ribas, rebautizada, por razones profesionales, la Lucy, ocupaba el cuarto que daba a la calle. Y en la tercera dependencia, la mujer del Castillo, madre de la Virgen de Lurdes, teñida de un caoba brillante, pendenciera, peleadora, "que si esa es Clara, yo soy Blanca". Y atendía bajo el nombre de Blanquita.

El establecimiento venía a estar atrás del tablado, zona umbría; las luces iban al frente. La parte de atrás de un tablado es tierra de nadie, o de alguno que ahí va a echar una meada, o alguna pareja de muchachos muy enardecidos, que se cuelan entre los bidones y ahí le daban a un amor a prueba de durezas y gritos y murgas que les retumbaban, de lo más romántico.

Menéndez, al quilombo, ni ahí. Un "buenos días" respetuoso, parejo para todo el vecindario, pero intrigado, aunque no sorprendido, del nombre del establecimiento. Y como no era de andar preguntando, estando en el mostrador, ladeado por el Paisano que le daba tiza al taco, respondió preguntando cuando Rivas, interesado porque ahí tenía una inversión, va y le dice: "¿Y don, no anduvo por lo de la Cristiana?". Menéndez ni lo miró, sorbió un vino, y mirando al vino preguntó: "¿Cristiana?". Y el Paisano, que sintió que le habían dado entrada, informó. "Buena gente, servicial. La Clarita es de la Biblia, vivió con el Buen Pastor. Muy buena, limpia. Fijesé que a lo que abre la puerta le sale el espíritu por la voz". Y moviendo el taco como si entornara una puerta, con carita de timbero tapado, con vocecita boba y dulce, anota un: "Que pase el prójimo".

"Cuando le volví a ver, acababa de ser operado y ni siquiera me atreví a besarle en la frente porque ya solo era un bloque de dolor y de incredulidad. Sentado en su cama para evitar cualquier presión sobre el largo desgarrón que descendía desde el omóplato hasta la cintura, parecía presa de un horror incomunicable, impermeable al mundo de los vivos. Con la mirada fija, extraviada de dolor, la boca torcida de dolor, el torso rígido de dolor, permanecía totalmente inmóvil con el terror de que cualquier estremecimiento pudiese venir a aumentar aquel dolor que, sin embargo, ya le parecía infinito. Pero tenía que respirar. Cada aspiración le apuñalaba en la espalda, lo mismo que cada aspiración, cada palabra pronunciada, cada sonrisa esbozada, cada mueca. Pensar le causaba dolor.

Practicar un neumotórax extrapleural es despellejar vivo a un hombre. No solo se va arrancando, centímetro a centímetro, la hoja externa de la pleura de la pared torácica a la que normalmente está adherida, sino que también cualquier cicatrización produce sobre esas paredes en carne viva una insoportable quemadura que se irradia por el brazo, por el cuello, por los riñones.

*La morfina apenas producía efecto y teníamos que guardarla para la noche, cuando el sufrimiento se hacía realmente insoportable. No había que abusar de ella, recordaba la enfermera. Del dolor sí se podía abusar"***.

Trabajar, lo que se dice trabajar, Zacarías no trabajaba. Él era un empresario. Emprendedor. Le gustaba emprender. Para lo cual andaba siempre de traje, cruzado, con tres botones de cada lado, en "V". Solía esgrimir un llavero de cadena, largo, y hacerlo girar en torno al índice, con cara preocupada, mirando hacia arriba, pero junto a un automóvil moderno, como esperando a alguien, y si alguien pasaba, piba con lo suyo, él: "¿No querés dar una vueltita en el auto de papá?". Eso, los sábados nocturnos, entre Tierra Santa y el Metropol, día de vehículos lavados y de percantas paseanderas. Era, digamos, una picardía menor, "yo no evado al fisco", comentaba, "y la patente al día". El auto, claro, era de otro.

Solía asociarse. Por ejemplo, con Clotilde, tan de Dios, a quien le susurró, como al pasar, que su primo el cura venía de la peregrinación, "¿cuál peregrinación?", "al Santo Sepulcro, Clotilde", y trajo del Jordán aguas santas, certificadas. "¿A cuánto?". "Para usted, Clota, sin cargo, si me coloca diez". Y le mostró unos frasquitos de farmacia, con agua y lacrados, el agua clara pero turbia un poco, y ahí no quedó creyente sin un poco de Jordán al pie de la Virgen, en el altar domiciliario.

Cuando el bolichero le reclamó la damajuana, le pidió otras veinticuatro horas, porque iba hasta Jerusalén y volvía, y allí fue, con la de diez litros en la falda, sentado en un 107 a Malvín, hasta el arroyo, "que no hay nada que documente que el Bautista no anduvo por ahí".

En Menéndez vio a un buen candidato. Él decía "cliente". "Favorecer al cliente". No para las aguas benditas. No.

"Lo veo interesado en tierras", dijo Zacarías a un Menéndez trajeado, apoyado en la baranda de la cancha de bochas, dejando correr los pensamientos con la misma lentitud con que las lisas rodaban sobre la conchilla apisonada. Levantó la vista, miró los bigotitos que cubrían la sonrisa del empresario y sin más volvió, esta vez, al rito de las rayadas. "Mamá me dejó un campo", agregó Zacarías, acompañando con la mirada la trayectoria de la bocha. "Pobre mamá", insistió. "Una tierrita tan linda que tengo que vender por nada; deudas, sabe, muchas deudas". Pero como Menéndez, nada, cambió de rubro, cuando una bocha andaba con efecto por los aires, "¿y cómo le va en el huevo?", y al pie de la frase la voladora chanta a la enemiga lisa con un golpe seco, tan seco como el "¡cojones!" con que Menéndez cerró el diálogo.

La olla era la grande de la cocina. Negra. Bien negra. Y ahora, apoyada en cuatro adoquines, con el fuego abajo y el llamerío que la lambeteaba por el contorno, más negra, si podía, se iba poniendo.

El fuego ardía a tres o cuatro metros del muro de la tribuna, que calentaba, muro y techo, esa escalinata invertida. Contra el muro, los dormitorios. Cobijas, bolsas de arpillera, pasto, lo que viniera, y por debajo, la tierra, noble, tibia. La tierra, si usted va y se le acuesta, calienta y aguanta. Y con la hoguera ahí, el calorcito entraba por las patas.

Cada cual trajo del hospital lo suyo: plato, frazada, víveres, herramientas de cocina, cuchillas, cucharones. Los platos eran hondos, para guiso caldoso. Pero la gente come y come, fijesé. Y eran una troja. Cualquier cantidad. Mujeres, gurisas, algunas viejas, y hombres, lo que pida. Marcaron la otra punta de la tribuna, bien lejos, como cagadero. Pero antes abrieron una zanja, no muy profunda, y la cruzaron con tablones, que les arrimaron los del tablado. Dejaron ahí un par de palas. No costaba nada, después de hacer, echar un par de paladas de tierra.

El barrio, en carretilladas que manejaban en posta Menéndez y el Negro de la Mirada, iba trayendo hasta mobiliario. Sillones viejos, bancos, tres caballetes y una tabla larga, a préstamo, del Recreo La Carreta, que ellos le daban uso para despedidas de soltero o de "salimos campeones". Con los cajones, vaciados de verdura, levantaron contra la pared del costado un *placard*, che, que ni de apartamento. Allí fueron a dar todos los medicamentos que trajeron, más otros que llegaron, ni se sabía para qué, algunos sí, nutritivos, aceite de hígado de bacalao en frascos con etiqueta de marino ballenero vestido como para tormenta, con capa y gorro y botas de agua.

Un fogón más chico calentaba el agua para el mate y la leche, que llegaba mucha. Y alguna vez se armó una parrilla de alambre, porque llegaron achuras y algo de carne, pero fue para lío, todos querían de ahí pero no daba. Así que todo lo que fuera carne iba a la olla, muy nutrida por los garrones y el caracú que mandaba Miquito, el carnicero, y cantidad de recortes, y nunca hubo caldo más gordo y fideo mucho, con cachos de hueso con algo de carne y cartílago y meta untar el caracú en la galleta.

"Vaya viendo, don", le dijo el Negro de la Mirada a Menéndez. "Solo falta gaita, pa' romería...", respondió Menéndez, con un resto de humor agrio, que hizo que el Negro lo mirara por debajo de la visera, y con retraso se le desbocó una carcajada a campo abierto, que se la cortó la tos, una tos de adentro, sacudida, y fijesé: le lloraba la vista.

Alguna vez, años después, tiempo después, que son más que años, Menéndez había intentado, sin saber cómo, comunicarse con el Negro de la Mirada para contarle de otras guerras. Pero después de la Gran Batalla, la derrota, las fugas, al Negro no le entraban las balas. Las llevaba adentro, sí, como el Gaita. Pero bajarlas hasta el mostrador como quien cuenta el gol que se perdió porque el balón pegó en el palo, no. Eso, vivido, era para uno. La verdad era que Menéndez sentía y pensaba lo mismo. Es probable que de allí les viniera esa afinidad sin palabras. El Gaita le sacaba el tema no por él; lo de él, lo de Menéndez, no salía, lo que en verdad buscaba era darle entrada al amigo para que se descargara, porque se había vuelto un triste. "Es la enfermedá", le decía el Negro. Pero no era. Se puede cantar hasta toser, y después de toser, volver a cantar.

Menéndez lo trajo al Negro en la dispersión de la Gran Batalla, de la que ya se hablará, no vayan a pensar. La carretilla había quedado escorada, con las vituallas desparramadas, yerba y azúcar envueltas en papel de estraza, juntas, entreveradas, como abrazadas a un rencor, los huevos rotos, el arroz, la leche entre vidrios verdes, verde clarito, que tal era el envase del elemento. Y a los fugitivos les daban caza y la autoridad actuaba con palo y tapaboca, y las camionetas celulares no llevaban personal adentro, solo subversivos, y el piso regado con hipoclorito a granel, "pa' desinfectar".

Fue ahí que Menéndez le dijo al Negro de la Mirada, "guarde eso, esto no lo arregla a cucharón", porque el Negro blandía, como maza de caballero medieval, el cucharón grande de la grande olla, recuperada por la autoridad. Y Menéndez enderezó la carretilla y le dijo al Negro que subiera y se arrollara y así lo hizo, abrazado al arma, que nunca abandonó, y el Gaita lo cubrió con la arpillera sucia de conchilla, porque era la que utilizaba el Canchero para proteger el rectángulo deportivo después de haber tapado los pozos de los chambones. Y como todo esto tenía lugar a mitad de camino entre la tribuna de los desacatados y el Recreo La Carreta, Menéndez pudo transitar en paz, cruzar la avenida y seguir como quien no quiere la cosa camino arriba, hasta que dobló la esquina, llegó hasta la casilla que había sido de las herramientas, avanzó más hasta un montecito de tártago colorado que los italianos del fascio usaban para extraer el aceite que hacían tragar a la oposición, y ya a cubierto de miradas en el tartagal, destapó al Negro, "aguante acá", le dijo, y fue hasta "las casas", que así llamaba a la casilla, y trajo frazada, agua, pan y lo que quedaba de vino.

*"Los dos últimos días habían sido intensos, agotadores. Nuestros sentimientos, además, eran nuevos y diferentes de los habituales en dos años de guerra. A las trincheras, y a la guerra misma, uno se acostumbra, aunque sea a la fuerza. Un fatalismo especial nos había llevado durante dos años y medio a resignarnos a la perspectiva de la muerte, en cualquier combate, en pleno campo, o en la cama de un hospital de campaña, con los intestinos agujereados por una bala o podridos por la gangrena. Más difícil era pensar, de repente, que todo va a cambiar y que uno ha de quedar en libertad y con vida. No es fácil decidir cómo emplearlas"**.

Zacarías tenía un negocio con la Portera. Venía de lejos. Desde aquel día que cayó por lo de la Cristiana y la Portera le preguntó si se iba a ocupar y Zacarías le respondió, al pie: "de negocios". "Las muchachas están trabajando", dijo la Portera. "El negocio es con usted", retrucó Zacarías. "No soy del oficio", respondió, "y estoy muy vieja". "No para hacerse unos pesos extras, como quien teje". Y ahí picó la Portera. "¿Y qué hay que hacer?"

Ir derecho viejo no era estilo para Zacarías. Así que empezó con las vueltas, qué caro estaba todo, y la Portera "digameló a mí", y que no hay plata que alcance, y la Portera "la mensualidá del finado no da pa' nada, qué se cree", y junto con eso, la salud, que los riesgos, que él sabía que ella ejercer no ejercía, pero lavaba las palanganas, "ah, eso sí, las friego", y que hay mucha purgación, "purgación no es nada, la sífile, m'hijo, la sífile", y él, "debería haber más control pero todo está tan caro, fijesé el precio de los condones", "si no los traen se cobra aparte", sentenció la Portera. Y Zacarías, "ahí está, ve; de eso tenemos que hablar".

Entonces habló de la crisis, de lo caro que estaban los "muebles", que eso no es para todos, que los bulines y cotorros ya fueron porque los vecinos no los bancan, ¡qué joder!, esto no es un quilombo, a lo que la Portera acotó "eso sí", y Zacarías "gracias a Dios", y siguió como si tal cosa, que fijesé, las parejas andan a monte, basta caminarse el Parque Rodó, sin ir más lejos, y ahí tiene el Parque de los Aliados, que está ahí nomás, cruzando la calle, y dejan el tendal, blanquean sobre el pasto, ni nudito les hacen, así como se los sacan, señora (lo que quedó muy bien, la Portera se enderezó para morder el pan con grasa, "señora"), y basta con que uno, no uno cualquiera, "uno", madrugue y vaya, con una cañita, un mojarrero, nomás, y una bolsa de papel, y ahí tiene, se los traigo, y cuando enjuaga las palanganas, enjuaga los condones, que todo es uno, azotea tiene, los seca, yo le traigo la materia prima y talco, ya ve, hay que estar en todo, y usted ahí no tiene más que arrollar y el que viene, va y le dice "¿usté trajo?" y si no trajo, "tengo americanos sueltos", y ahí está, ve. Vamo y vamo.

A todo esto, con el Castillo "en la cuna de los campeones", que así llamaba al estadio que ocupaba del lado de afuera, y con la mujer haciendo horas en el quilombito de la Cristiana, la hija, Virgen de Lurdes, era custodiada por la tía, hermana de la madre, mayor en dos años que la hija, que había cumplido diez. La madre hacía lo que podía. Sacrificaba el descanso de la tarde para ir hasta el ranchito orillero "para ver cómo estaban las cosas", y ahí llevaba algo de dinero, le tomaba la lección a la hija "porque vos la escuela no me la dejás", y le daba a la hermana instrucciones de cocina, "que para eso te traigo y no para esa blusita que cuánto te salió mientras yo me deslomo". Las visitas las hacía con preferencia los domingos; comía con ellas, hacía una salsa, traía tallarines. Y de ahí se iba al hospital, porque ya venía con un paquete de fruta, tabaco, queso y, si daba, mortadela.

La cosa fue que un día Virgen de Lurdes se apareció en lo de la Cristiana. "¿Cómo llegaste?" "La tía me dio la dirección". Y le mostró la hoja de cuaderno donde la había anotado "por si pasa algo". "¿Qué pasó?" "¿Qué le pasó a la tía?" Algo tenía que haber pasado, haberle pasado, fiebre, una quemadura, algo, "hablá, nena, decime". "Se fue. La tía se fue". "¿Cómo que se fue?" "Tenía novio, mamá". "¡Hija de puta, ya me lo veía venir, con tanta blusita, sí!"

Y todo esto en la vereda, con la puerta entornada, desconcertada la madre, asustada la hija, hasta el "vení, entrá". Y se la llevó derechito a la cocina, territorio libre de clientes, pacientes, hombres, que alguno solía caer hasta a media tarde, que en esa hora estábamos. "¿Comiste?" Entonces le hizo un par de huevos fritos, "sentate ahí, no toqués nada", y había pan y hasta tomate, que picó, saló, aceitó y "dale, comé". Y comió, calladita, y la madre "¿te dejó la plata?". "Se llevó todo, mamá; no me pegue". No le pegaba. Pero tenía miedo. "Acá no podés estar". "¿Y papá?" "¿Papá? En la cuna de los campeones".

No hay voracidad cuando comen los malcomidos. Algunos, plato en mano, buscan el solcito, recostados al hormigón del estadio. Y entran a comer lento, parsimonioso, como esforzándose. Hay necesidad pero no hay hambre. Hay que comer porque si no, no se sale, y se sabe que la enfermedad produce ese estado de inapetencia que, junto a la febrícula y la tos, son la santa trinidad del diagnóstico.

El Negro de la Mirada se preocupa de que el guiso tenga aroma; a los donantes les pide condimentos, laurel, orégano. Algo oloroso, que le entre por las narices a los acampantes, que si son cansinos en el andar y el comer, no lo son con la voluntad, que por algo están ahí, ¡qué joder!, que con el jarabe del doctor Prost va a cantar otro gallo.

Los grises hacen cola frente a la olla, negra, de hierro, grande, de alquimista o de tira cómica, esas que te tienen que pintar un explorador cautivo metido hasta las tetillas en los caldos que prepara la tribu.

Difícilmente repiten. Se llenan pronto, fácil. "Tengo el estómago cerrado", o el consolador "comí lo más bien". El Negro se preocupa de meter el cucharón a fondo, donde se deposita la carne, el fideo, las papas. Por arriba es caldito y grasa, que forma redondeles, archipiélago flotante que alguno pide, "aire libre y caldo gordo".

Lo que es ritual, obligatorio, es la leche. Y con la leche, los que estuvieron internados y ayudaban en enfermería, reparten las píldoras, que se tragan juntas y nunca curaron a nadie, pero se tragan, "quién sabe, vaya uno a saber, en una de esas..."

No hay cuchillo ni tenedor. Se come a cuchara. El garrón, bien hervido, se corta a cuchara, después que a cuchara se vació caldo, fideo, "zanagoria". Y se come con delectación, la carne no es para todos los días, no tendrán apetito, pero la carne llama. Y ahí están, masticando a cámara lenta, "no hay como la carne", y recuerdan los días de hospital, donde de la carne les quedaba el hálito, el rastro que dejaba en el aire su visita, que entraba y salía, como médico apurado.

Y si alguno, bajoneado, queda recostado, con el plato medio lleno y los ojos entrecerrados, de cara al sol, no falta alguno, porque se cuidan entre ellos, que pasando a su lado le cachetea con el pie, el pie, para despabilar, y el saludo es un "dale, comé".

"De pronto, me di cuenta de que nunca, nunca durante la guerra, pude sentir, ni disfrutar, ni aspirar la belleza del paisaje de España. Había estado meses en las trincheras de Sierra Morena y en sus colinas había visto, agitados por el viento, los verdes montes olivareros, sucesivamente florecidos, cargados de frutos y luego mustios y marchitos, sin la mano del hombre que recogiera la cosecha. Había visto caer la nieve en las montañas que rodean a Teruel y recordaba el descenso de los copos, como prismas que transportaban sus propios arcoiris. Me había bañado en el Guadiana, colgado de la maroma de una balsa, cuando salí de Herrera del Duque para el frente, y había contemplado sus riberas planas

y el correr de las aguas. Pero jamás en ninguna parte, había tenido capacidad suficiente para desligarme de los problemas de la guerra y entregarme, aunque fuera por momentos, al panorama que mis ojos miraban pero no veían. Las colinas y los recovecos de las sierras solo eran, para mí, posibles abrigos, refugios o lugares adecuados de emplazamientos de un nido de ametralladoras. Los ríos, obstáculos estratégicos. La nieve, un contratiempo para las comunicaciones.

Por fin cruzamos la frontera. Un capitán francés, con el inconfundible kepis, se dirigió a la columna que había hecho alto para escucharlo.

—Ici c' est la paix et la liberté. Pas de chants, pas de bruits!"*

En el boliche se compraba un diario. Todos los días. El domingo, con suplemento de sociales. Muy lindo. Tenía también radio, gardeliana, salvo los horarios de "fiestas en los jardines españoles" que, como incluía "El soldadito" y otras calumnias franquistas, Menéndez esquivaba los horarios, que más bien eran uno, los domingos a media mañana, y él, a esa hora, solía sentarse bajo la higuera. El español del boliche era un español de antes, de los venidos antes de todo, antes de Primo de Rivera y las falanges, antes de la República y el alzamiento de Franco con los moros. Por eso, delante del retrato encuadrado de Gardel, tenía una Virgen, de yeso, bien pintada, con espigas de trigo a veces, siemprevivas otras y, cosa curiosa, al pie de María, un pequeño recipiente de barro, como de yogur, que también se utilizaba en la mesa de truco para los tantos de poroto o maíz, según la estación. Pero en el recipiente de la Virgen había agua hasta la mitad, que todos los días se renovaba, y el bolichero comentaba "¿ve?, cuando la retiro hay menos". La Virgen, sedienta, bebía; poco, pero bebía.

Fue en esos diarios que empezaron a verse las noticias, primero la ocupación ilegal de un espacio público, luego los riesgos que implicaba para la salud de los enfermos y para la colectividad toda, qué también, porque ellos, allí, se iban a agravar, cualquiera sabe que un enfermo debe guardar cama, y por lo demás, los derechos de cada uno terminan cuando empiezan los derechos de los demás, y los demás tenían derecho al solaz de un espectáculo deportivo, que la presencia de ellos les tenía vedado, y lo que es más grave, sabido es que el bacilo anda en el aire y aquello era poco menos que un criadero y ya ni al parque público se podía ir con la familia, era un riesgo el picnic dominical, los niños que juegan con el balón, las autoridades deberían intervenir. Es su obligación.

"Están encendiendo la mecha", dijo Menéndez. "Hala", sentenció, y nadie dudó, entre los parroquianos, que ese "hala" que venía de la Guerra Civil era un alerta, cuidado, se viene. Atención. Hala.

"... oí claramente el chasquido, como el de una cuerda que se afloja, como el de una goma demasiado tensa que se rompe, y luego otro, y otro...

—Mi cicatriz... abierta —consiguió articular—. Busca al doctor.

*Pero el despacho del médico estaba vacío, también su habitación, y no se veía ninguna enfermera en los pasillos y yo trotaba de la recepción a la secretaría, y recorría arriba y abajo aquella Casa de los Muertos, sin encontrar alma viviente. Por fin descubrí al doctor en el último piso, en su apartamento privado. Y cuando le describí la situación en dos palabras, el médico soltó un '¡mierda!' involuntario. Y a pesar de su vejez y gordura, bajó en tromba los tres pisos y llegamos al fin a la cabecera de un cuerpo lívido, desfigurado y sacudido por los temblores. El doctor comprendió enseguida y sin hacer ningún comentario comenzó a deshacer el vendaje. En medio del largo tajo vertical que le atravesaba la espalda como un sablazo, se había abierto una boca, una boca ancha con los labios en carne viva y que respiraba al ritmo del pulmón, con un espantoso ruido húmedo"***.

La Cristiana tenía eso, ve. Le encargó a la Portera que limpiara el altillo y que la silla esa, descolada o partida, no recuerdo bien, que se la quede. La escalera que llevaba al altillo era de chapa y con baranda de caño. En el altillo mismo había otra, más pequeña, que daba a una trampa corrediza y ahí tenía la azotea, donde flameaban sábanas pecadoras para que vean qué blancura, y colchas que se orean, fíjese, la casa es limpia. El altillo tenía su puerta y una ventana interior, que daba al patio. "Dígale gracias a la señora", dijo la madre. "Gracias, señora". "Vaya m'hija, vaya, tiene una mesita para los deberes".

Era una manera de salir del paso. La Nena podía quedarse, pero ¿hasta cuándo? Virgen de Lurdes era muy avispadita, tanto que a ella, que nunca salió de las orillas de la ciudad, le bastó una explicación de la tía, una dirección a lápiz en una hoja de cuaderno, para llegar, y a pie, hasta el lugar de trabajo de la madre, preguntando. Lo que más la ayudó fue esta palabra: "estadio".

La madre, que tuvo que hacerse tiempo en horario de oficina, perdiendo jornales, fue hasta la casita, cerrarla bien, traer las cosas de la nena, abrigo y eso; las dos cortinas de la cocina para la ventana del altillo, "usté para abajo no me mira y cuidadito con abrir la ventana". Trajo también el primus y la maceta con agujeros que le ponía arriba para caldear el ambiente, porque tan cerca de la azotea el frío es otro.

Y allí se instaló Virgen de Lurdes, bien, pero todo mal. No podía bajar más que al baño o a la cocina, si la autorizaban, "y nada de vereda", y sobre todo, "no quiero que te anden viendo". Y a la Portera: "ay, Dios bendito, no sé qué hacer con esta chiquilina". "Lo mejor va a ser que se la lleve para las casas y usté trabaje allá", comentó la Portera, que era muy sabia. "Allá los clientes te vienen con un kilo de yerba", replicó la madre. Entonces, para sacarla del tema, la mujer del Paisano Rivas, tan callada y tan bien, "deje, deje, vení, nena, te viá hacer unas tortas fritas". Y se la llevó a la cocina y amasaron juntas.

Y así fue el día del primer día y vino la noche y era buena noche, de muchos parroquianos, y fue entonces que se escuchó, desde lo alto, aquella tos.

Una vuelta, apareció un suelto en el periódico con un título breve y llamativo, como debe ser. Menéndez lo leyó dos veces, y al día siguiente le solicitó, a su coterráneo bolichero de la Virgen bebedora, si le podía prestar ese recortecito. "Llevéló todo, hombre; le servirá para los güevos".

Y allí marchó el Gallego con el surtido, que si bien no llenaba la carretilla, incluía, esta vez, lectura.

"Leameló", dijo el Negro de la Mirada. "Yo no sé".

Y Menéndez, cuidadosamente, montó sobre su nariz los espejuelos, como él decía, nunca pudo decir "lentes" y, en la frontera del campamento, comenzó, trabajosamente —aprendió a leer en las Brigadas—, desde el título al punto final.

Leyó el titular, a lo niño, cuando tienen que hacer una composición: "El árbol". Hacen pausa y luego siguen: "El árbol es un vegetal". Así comenzó el Gaita: "Garrapiñada mortal". Y al pie de las dos palabras, el Negro de la Mirada pegó un respingo "puta que lo parió", porque ya se vio venir la película, y la película la fue desgranando Menéndez, alarma pública, un sujeto identificado por una autoridad del nosocomio donde estaba recluido y que había abandonado sin alta médica, el riesgo para la salud, la contaminación, el contagio, el soplido fatal; el sujeto fue detenido e incautada su maquinaria y mercancía, el repudiable sujeto dice llamarse Jesús de los Santos, ajuntado y con dos hijos. Fue restituido al hospital, hoy con más personal que pacientes, porque en un acto de irresponsabilidad incalificable, los tísicos se han desplazado e instalado donde no deben, reclamando un jarabe cuya importación se está tramitando, en tanto ellos, en número superior al centenar, han alterado el orden y se han constituido en un foco de contaminación que cundirá por la población toda si no median medidas enérgicas, etcétera.

*"Yo sentía el cansancio físico como cualquiera. Pero hubiera sido capaz de soportar, todavía, algunas jornadas de marcha si no hubiera sido por aquellas malditas llagas en los pies. Al principio, cuando comenzó la molestia cerca de Gerona, había aprovechado todas las oportunidades para lavarlas. Después, resolví tirar el único ensangrentado par de calcetines. Desde hacía dos o tres días la carne viva rozaba las plantillas deshechas y el cuello mal curtido de los borceguíes. En el último lavado, en La Junquera, pude suavizar el contacto con un poco de talco ofrecido por un camarada australiano que coincidió conmigo al lado de la fuente. Por un rato sentí alivio y frescura. Pero ahora el dolor se hacía insoportable"**.

Y no, no es fácil, controlar, equilibrar, lograr un armisticio entre las memorias. La otra —que no es la de uno, aunque uno está ahí— avasalla. Tiene sus temas, su lenguaje. Tanto que hasta a uno, a la de uno, le hace decir lo que sé que no es. Inventa. Y es entonces que nos ponemos (se ponen) de punta. No es fácil. Si la otra funcionara como la de Funes, el Memorioso, que podía registrar desde su cama, para siempre, el número de las pisadas de una hormiga, ida y vuelta, vaya y pase. Era el registro real, exacto, de un acontecimiento. Pero esta no. Esta no registra: crea. Y de ahí el descontrol, porque te puede narrar el andar de la hormiga, contabilizar, más que Funes, el golpeteo de cada pata de la hormiguita viajera, y todo esto, sin hormiga. La hormiga no existe, no hay hormiga, y ella, dale, hasta te menciona la pintita blanca del costado del vientre, que le vio de refilón.

Así que "como las lentejas" —diría el Gaita— "las tomas o las dejas".

Para la memoria global, la autónoma, es real todo lo que se cuenta. Incluso cuando me cuenta, o me hace decir, por su cuenta.

Así que, el Gaita..., ¿sería, che?

El choclerío venía brotando en cada tallo. Era un concierto de brotes, ya con su formita alargada, envuelta en chalas como pañales. Una guardería de choclos por todas partes. Dos por tres se veía alguna que otra vecina rondar los cañaverales como quien no quiere la cosa, palpando como al descuido, entre índice y pulgar, la ternura del recién nacido. Menéndez sonreía, "habrá para todos". Y al rato, luego de lidiar con la bombilla, que manejaba como si fueran cambios de tractor, agregaba un "pero no para todos".

Desde el tartagal, el Negro de la Mirada, con su propio mate, "un respeto", delicadamente, sin ofender, instruía: "frene el camión, don Menéndez; frene". Y luego, dándole tiempo al tiempo, "la paletilla no debe agarrar aire porque se enfría". Entonces Menéndez emitía un "*jmmmh*" y clavaba la bombilla en un sitio. Luego cebaba. El fogón era compartido, y caldera de lata, dos, de las de Jacinto.

El Negro no era de campo. Por eso cuando Menéndez lo invitó a recorrer las plantaciones, se excusó. "Gracias, don; yo hago fletes". Y los hacía. La carretilla pasó a ser suya, el Canchero, al que se la quiso restituir, le dijo "está en buenas manos". El Paisano Rivas comentó "anda esquivando el contagio", y Menéndez lo cortó, "es buena gente".

Le engrasó el eje con el sebo que le facilitó Miquito, la lavó, y le dio grasa a todo: relucía. "Vea, don; tengo el chevrolé encerau". Se hizo pintar por Gutiérrez un cartón, "se asen flete", y entró a cargar leña, diarios viejos, botellas, camas viejas, hasta mudanzas. Era cuestión de llevarlas de aquí para allá y el allá no estaba lejos, un paseo. No tenía tarifa: "a voluntá". Por un "casi" no agarra un reparto de almacén, "pero los clientes, usté sabe, todo bien, pero desconfían".

Una vuelta le preguntó a Menéndez si no temía que le robaran todos los choclos. Menéndez le dijo "no", "todos no; solo muchos". Y el Negro, que venía lidiando con unas chapas para armarse un cobertizo, va y le dice: "¿Y le valdrá plantar tanto pa' otro?".

Menéndez volvió a cebar, esta vez con la bombilla clavada, quieta, sostuvo el mate en su mano ancha, meditó y dijo: "¡Joder!; no. Pero siempre es mejor cosechero el que planta".

Zacarías venía rondando la farmacia para ver a quién le entraba. Al farmacéutico no, porque era medio revirado. A la dueña, mejor, su esposa. Cuarentona larga, de sonrisa atenta, y ahí fue, "jarabe para la tos", alemán, lo mejor, ¿no?". "¿Anda con tos?" "El tabaco". "Tenemos este". Y puso sobre el mostrador un envase de cartón con frasco adentro, prospecto, hasta un dedal con la medida, "este es caro". Y le mostró otros y nada le vino bien a Zacarías, pobre, "mejor dejo de fumar", la mujer sonrió y al despedirse Zacarías se excusó por la molestia, "molestia ninguna", dijo la señora, "si todos fueran como usted el mundo sería otro", piropeó Zacarías, y ella que sonríe y le dice "pruebe con vahos de guaco". "Mi mamá siempre decía; gracias".

Y se fue, llevando empalmado un prospecto en alemán, que era en realidad lo que venía buscando. "Qué voy a tener tos, yo, con los abdominales que hago". Nunca se entendió la relación de lo uno con lo otro, pero ahí queda.

Algo así le dio a don Pedro, el Remendón. Tenía un garagecito con entrepiso, su dormitorio. En la planta baja, estantes con zapatos viejos, la trincheta, molde, cola y primus. Tenía sus años, comía de vianda, que tenía ahí nomás, en diagonal, del almacén de Miquela, donde se cocinaba para afuera, y la Tota, su mujer, cocinaba y hacía el reparto, en esas viandas primorosas, de aluminio, que encastraban los tres recipientes iguales pero independientes en una paralela de guías de hierro, y venía la sopa abajo, el plato del día al medio, y arriba el postre. Don Pedro era asmático, y no lo curaba nada. Incluso escuchó atento el consejo del Paisano Rivas: "Mire, usté va a un lagunón, pesca un bagre, tiene que haber luna, le escupe en la boca, con fuerza, cosa que le entre, se santigua y lo larga, vivo, muerto no sirve; él se lleva la porquería; eso sí, nunca más vuelva a comer pescado". Don Pedro la pensó, y pensó en la vianda, que dos por tres venía un chupín de pescadilla con papas, y no le gustó la idea. Y hasta a Zacarías lo escuchó: "Permitamé, don Pedro; lo suyo es psicológico, asma psicológica; yo tengo unas pulseritas que..." "Vayasé al carajo", dijo don Pedro. “Asma psicológica yo, con el carácter que tengo; vayasé al carajo”.

Pero ocurrió, una noche que volvía del boliche a su piso, caminando de cordón a vereda y de vereda a cordón, apoyándose dos por tres en un plátano, que el tinto tiene esas cosas, indignado, “asma psicológica, asma psicológica yo, con el carácter que tengo”, y ahí iba, torcido y sin perder el rumbo, renegando, y en eso se para y dice a nadie y a todos, en medio de su jadeo, entre vitivinícola y pulmonar, “a mí lo que me mata es el viento norte, ¡carajo!”. Y señalando con el brazo a medio extender hacia un lado, va y dice: “cuando el viento norte sopla de ahí, no me hace nada”, y cambiando, como veleta inestable, la dirección del brazo a medio extender, apuntó más o menos para el otro lado, que sería el Este, y ahí concluye: “pero cuando el Norte sopla de ahí, ahí sí, me mata”.

Llegó como pudo, subió a su piso, tropezó con todo y se echó, mal respirado, panza arriba, y cuando entraba en sueño, se ataca, “me falta el aire”, y trastabilla, no encuentra la luz, llega a la ventana, falta aire, no da con el pestillo, no aguanta más, y de última, da un zapatazo al vidrio que estalla y una bocanada de aire es aspirada a cuatro manos, y el aire alivia y ahí sí, va y se acuesta y duerme y al otro día lo despierta, tarde, la Tota con la vianda, “suba”, dice, y la Tota sube y “ay, don Pedro, mire qué desastre, el espejo del ropero, ¿cómo se le rompió?”, en tanto se dirigía a la ventana, intacta, "esto necesita ventilación, ¿se la abro, don Pedro?".

Zacarías le hizo precio por una pulsera de cobre, sacralizada por un vidente, muy buena para el reuma, también, don Pedro le pidió discreción y se ofreció con una media suela y taco, que fue consumada.

Del prospecto, Zacarías no entendía nada. Pero necesitaba unas frases tal cual, para la etiqueta. Le habían sobrado algunos frascos de color caramelo, del peregrinaje al Jordán, igualitos todos, unos diez, se podían conseguir más, y necesitaba una etiqueta en alemán que apuntalara el:

HERR DOKTOR PROST
JARABE

Tal vez el barrio, orgulloso de tanta cosa, el tablado Rojo Cardenal Patente —que costeaba la pinturería a cambio de darle nombre—, el terceto de bochas del Club Atlético Tuyutí, cuarto en un campeonato nacional, nunca imaginó que su fama iba a estar dada por la guerra. Que aquellos días de guerra en el mundo, con derrotas en España y acorazado hundido ahí nomás, frente a playa Ramírez, invasiones a Polonia y rumores de campos de concentración, el barrio iba a tener titulares de una batalla entre grises y azules, entre la rebeldía de los enfermos y la obediencia debida de la policía montada, sable en mano, que reculaba —y ya se contará cómo— ante la audacia de "los hijos de la miseria", tísicos cuya utopía no iba más allá, y ese Más Allá era el horizonte de la Utopía, no era liberar la patria ni revolucionar la sociedad para alcanzar la ilusión del socialismo, era algo tangible, un churrasco vuelta y vuelta, jugoso, que les fortaleciera el torrente sanguíneo tan venido a menos, y esa anunciada panacea, los diarios no mienten cuando uno necesita creer, del científico alemán que terminaba de una vez y para siempre, a lo sumo en quince días, con las tisis, tuberculosis, esa mierda que los aislaba de la familia, el boliche, la vida.

Jarabe del doctor Prost, contundente en el preparado que les reservaba Zacarías, a bajo costo, y más contundente:

HERR DOKTOR PROST
JARABE

Tiempo después de la guerra, Menéndez y el Negro de la Mirada andaban por ahí afincando y eran dueños de su discreción. Ni el uno ni el otro se preguntaban por la familia. En uno y otro caso la familia era algo entrañable, profundo. Pero difuso. Lo único tangible fue la visita del hermano del Negro, gordo, alto, chueco, que se juntaron bajo el cobertizo de chapa, entre los tártagos, territorio al que no llegaban, vaya uno a saber por qué, las gallinas de Menéndez, tan andariegas ellas. Estuvieron conversando y se bajaron una botella de grapa. Nunca levantaron la voz, no rieron nunca, de pronto se daba una laguna de silencio, como si ya no quedara nada que contarse, decirse, pedir. Nada. Menéndez los dejó, se fue a sus plantaciones y cuando volvió, tarde, estaban igual, igual los murmullos, los silencios y la grapa en curso, por lo que dedujo el Gaita que se trataba de otra botella.

El hermano se fue. El Negro no acompañó, siguió mateando. Al pasar frente a Menéndez, el hermano alzó la mano en señal de saludo, sin palabras, pero aquella mano abierta, quieta en el aire, sobre el hombro y a la altura de la cara, se sentía como una expresión amistosa, franca. Y sin palabras.

Menéndez lo vio alejarse por el sendero, las piernas parecían más chuecas, tal vez por los barquinazos, el cuerpo más grande, puede que por pesado o torpe, y cuando llegó a la vereda se plantó, y con un vozarrón que no se le había oído en toda la tarde, y era una frase contundente, una afirmación, ronca, casi gritó, guerrera, una conclusión.

"¡Tengo una Leona que hace temblar las columnas!"

No dijo más, eso, no más. Alzó la mirada y rumbeó, de babor a estribor hasta el camino.

Nunca más se le vio. Pero aquella frase era para desgranar, desgranaba el alma, impactaba y surgían los recuerdos, para quien la oyera, y los que oían eran Menéndez y el Negro —no sé si el Rengo Pérez—, y estaba diciendo que él sí, que el hermano sí, tenía mujer. "Una Leona que hace temblar las columnas". El hermano tenía familia.

Lo demás era bruma.

La vieron llegar de lejos con un bolsito. El Negro de la Mirada la vio a una cuadra y le avisó a la enfermera, señalando lo que se venía y "párela", y allí fue a interceptarla y se les vio conversando en medio de la calle y la enfermera le hizo un mimo o le tomaba la fiebre, que no se veía bien y ahí se vinieron las dos, de la mano, y a los pocos metros la enfermera pegó el grito "nos vamos a la enfermería, avisen al Castillo".

"Mamá me dijo que tosía mucho y le corría los clientes".

Entonces la auscultaron y alguien le dijo "muy lindas las colitas", "me las hizo la Paisana", "y ¿quién es la Paisana?", "me enseñó a hacer tortas fritas". "Con azúcar y sin azúcar. Yo subía p'al altillo y la Portera las vendía a rial".

Las colitas estaban de lo más bien, con una cintita colorada, la Paisana tenía mano, ella de muchacha era de la trenza; y alguien le dijo "apretá el brazo" y le pusieron un termómetro, porque "algo tiene", había dicho la enfermera, a ojo. Y tenía. Después vino lo del treintaitrés, respirá hondo, largá el aire, tosé, podés parar. Pero siguió tosiendo. "Escupí acá", dijo la enfermera y le alcanzó un tarrito, y miró al doctor como preguntando y el doctor, como al pasar, "es posible".

Después vinieron la pregunta del Castillo, la tía, la casa, hija de una gran puta, y que lo mejor va a ser irnos para allá, tengo llave. "Mamá te manda esto". Y le dio unos pesos.

Zacarías tenía un cestito con asa, en mimbre, forrado, que ni el de la Caperucita Roja, y lo tenía sobre la mesa y desde el catre lo contemplaba; se lo había prestado la vecina cuando le pidió algo como para cargar los frascos, aquello era como para fruta o flores de las que duran, siemprevivas, esas cosas. Y calculó la impresión que podía dar eso, que la vecina le forró con papel crepé, y se dijo "no", y negó con la cabeza sin separar la nuca de la almohada. "Eso no vende nada, un producto científico no es para canasta navideña". Y fue y le dijo a la vecina "gracias, no sirve", y la vecina, que tenía debilidad por aquel hombre que le alquilaba una pieza y nunca pagaba pero era capaz de decirle las cosas más lindas que nadie le dijera jamás, a esa edad cuando ya nadie le dice nada, con diente faltante y várices extrovertidas, y sentir que el vecino le canturrea, en lugar del saludo, un "despierta, mi bien, despierta, mira que ya amaneció" igualito que en el radioteatro de las quince, la vecina, pobre, se sintió en falta y casi se le excusa y le dijo qué más le puedo dar, "busque algo más profesional", y ella va y abre el ropero que del lado del piso tenía como un desván, con cajas de zapatos con zapatos algunas pero las más no, y ahí va y ve, de la madre, una cartera de suela, de las que ya no se usan, oscurecida de tiempo, con una chapa metálica con la marca, el logotipo de la manufactura Kurt, que sonaba alemán pero no era, era una curtiembre de la Curva de Maroñas, que trabajaba en carteras cosidas a tiento, y el "kurt" era por "curtiembre", y fue. Ella, pobre, y "no sé si puede servir", y Zacarías dio un respingo, justo, eso, pero tomando solemnidad dijo "la chapa necesita claridad", y ella "disculpe, tengo Brasso y ya va a ver, don Zacarías, le queda como de oro; es bronce". Pero ya que dio treinta podía dar treinta y una, "esa correa está muy larga, es de colgar, achique, como portafolios". Y la luz se hizo y la cartera también, el "Kurt" brillaba y la correa no se cortó, "era de mamá, ¿sabe?", pero le hizo tres dobleces que afirmó en cada extremo con cuatro puntadas trabajosas con hilo marrón, sedalina que, encerada, quedó al tono.

Y Zacarías la tanteó, vio que le iba, y antes de entrar a su pieza gratificó: "Esto no es un milagro, vecina; el milagro es usted".

Y la vecina sonrió con todos los dientes, porque así se sentía, aun con faltantes.

"No vaya a creer", dijo el Paisano Rivas. "Tres, cuatro fogones, día y noche, comen más leña que la locomotora del tren del norte". Y era, nomás, una necesidad de abastecimiento no calculado. La gente fue arrimando bolsas de carbón de dos kilos, y hubo una gente que dicen que era de una carbonería, El Buen Trato, que la trajo en bolsa. Pero eso dicen. No sé. Lo que sí sé es que por las noches alguno se largaba al parque y algo partía, no mucho, las secas, las verdes son duras de partir.

Había que ver las hogueras, desde la barranquita que daba entrada al parque, cuando oscurecía. No le miento, pero a doscientos metros se veían las caras de los que hacían ronda al fuego, eran doradas y los ojos brillantes. "¿Y usté les veía los ojos?" "Es un decir". Lo que sí se veía era alguna que otra vela, que venían algunas, las mujeres, con alguna estampa de la Virgen o algún Corazón; y ahí la velita, en la cabecera del dormitorio, al piso. Titilaban. En el campamento había soles y estrellas, hoguera y vela. Un gusto de ver.

El Canchero y Menéndez desarmaban los cajones de verdura y estibaban las tablitas en la carretilla. La gente de la obra grande, como diez pisos, trozaba algún andamio. Todo se iba. Se iba en humo, dejaba calor, del fuego, de la gente, del barrio. Les habían llevado dos o tres primus, pero qué va. "Gracias". Daban pa' poco. "Acá hay un gentío de gente mucha y por lo demás, la hoguera junta".

"Cuando nos aproximábamos —luego de cruzar la frontera— a los lindes del pueblo, dejamos de silbar del mismo modo que habíamos comenzado. Primero, en un grupo, luego en otros, después en todos, el silencio quedó subrayado por el rítmico taconear en la carretera. Alguien comenzó a pleno pulmón:

—Un-dos, un-dos, un-dos.

Y después, como la variación fonética le proporcionara un descanso, la misma voz se elevó sobre nuestras cabezas; habíamos llegado al pueblo y al enfilar por la calle principal, el voluntario que marcaba el compás fue sustituido por un coro de silbidos que modulaba de nuevo 'La Joven Guardia'. Un oficial francés, de los que nos custodiaban, gritó:

—Silence! Défendu de siffler!

El coro cesó, a regañadientes. Pero desde algún lugar de la columna se alzaron desafiantes, como un insulto, los dos primeros versos de 'La Marsellesa', que retumbaron en la calle, precisos, con todas sus palabras y todas sus sílabas, como un rencor estridente:

Allons, enfants de la patrie!

Le jour de gloire est arrivé!

La columna se estremeció de punta a punta. Eran miles de bocas.

Los vecinos del pueblo, apiñados en las aceras, habían contemplado hasta entonces con respeto —quizás con curiosidad solamente— el extraño desfile. Pero ahora, de acá y de allá, de los bordes de las veredas o desde los umbrales de las casas, surgieron puños en alto que nos saludaban, se acercaron brazos que se metían en las filas, manos que estrechaban las nuestras, que nos tocaban. Y unieron sus voces al canto de la columna. Las órdenes de los gendarmes quedaron ahogadas en solidaridad".*

"Después de la operación, hasta que Miguel murió, sus ropas estaban empapadas de pus y sangre. Nos tuvimos que marchar el niño y yo a la calle de San Nicolás, donde vivían mis tíos; yo no tenía mucha seguridad de que me acogieran allí. Ellos vivieron mu-

chos años en Alcalá de Henares, y yo los conocía muy poco tiempo. Mi tía era buenísima, nos acogió con mucho cariño y respeto. La ropa de Miguel la lavaba allí y me decía que no me preocupara. La vecina del primer piso sí que se quejó de que tendiera la ropa del enfermo en los alambres de la terraza común".

"... que caven un hoyo en mi pecho y que te entierren en él".

"Esas manchas de pus y sangre, en las ropas de Miguel, no desaparecieron nunca. Los calzoncillos los gastó mi hermano y, ya hechos pedazos, quedaron patentes los rodales de esas manchas. Mi hermano, que era de la quinta del 41, estuvo tres años en el servicio militar y, cuando vino cumplido, tenía escasas esas prendas, y me dijo que le diera algo de Miguel. Al decirle yo que los calzoncillos estaban en ese estado, me dijo que no le importaba, que se los diera. Y hasta que se rompieron tuvimos ese recuerdo tan manifiesto, él llevándolos puestos, y yo por tenerlos que lavar".

"La cebolla es escarcha
cerrada y pobre.
Escarcha de tus días
y de mis noches.
Hambre y cebolla,
hielo negro y escarcha
grande y redonda.
En la cuna del hambre

mi niño estaba,
con sangre de cebolla
se amamantaba;
pero tu sangre,
escarchada de azúcar
*cebolla y hambre"***.*

"Es muy bueno eso de sentarse a la mesa con la Teresa y los neños", se dijo Menéndez abriendo la hoja grande, que no lo era mucho, de su navaja barata. "Muy bueno", sentenció. Y partió de dos tajos la cebolla, que se abrió como gajos de naranja, y con el índice y el pulgar, dedos gordos, los espolvoreó con un poco de sal y no precisa más. Y los niños ahí; niños que ya no eran, tal vez ya no fueran niños o quizá ya no fueran, ahí aguardando la palabra que sentenciaba la largada, el comienzo, el comienzo de la vida: "a comer".

Y entonces la Teresa volcaba a cucharón en los platos, primero el de Menéndez, las gachas pobres, de pobre, y Menéndez partía a mano la hogaza, una fortuna, en trozos de ración del día, para todo el día, y las miradas de los niños se hundían en la sopa espesa y el pan apretadito en el puño, como temiendo que se lo quitaran, pan custodiado, que se iba a saborizar —no se repetía— con lo que en el plato se resistiera a la cuchara, y el plato ya no necesitaba de agua, que la había, y luego el trozo de pan retenido iba al bolsillo de una chaqueta gris a la que cerraba un botón, tirante, que les quedaba chica la ropa.

Entonces la Teresa y los "neños" volvieron a bajar la cabeza, que así se hacía, tal vez una expectativa de que hay más, algo más, eso otro, tal vez, que solía llamarse "postre", y las miradas volvían a los platos lustrosos, hambrientos, plato y miradas, y el silencio ritual; el instante eterno de ese silencio se cortaba con el suspiro de la Teresa y era la señal de levantarse y cada cual a lo suyo, no sin antes dirigir la mirada a la silla de Menéndez, vacía, la silla de Menéndez que presidía el almuerzo en otros sueños. Vacía.

El Lolo Seijas le pidió una entrevista a la Cristiana, que le mandó decir por la Portera que no daba hora, que en su casa era por orden de llegada, a lo que el Lolo le mandó decir, por la Portera, que no era para aquello, que era por una cuestión de orden, y que prefería cancha neutral.

La cuestión era que el Lolo era responsable del equipo de música del tablado, un tocadiscos con dos parlantes y un micrófono que manejaba para leer avisos y organizar la tómbola, y por ahí leía cuando legible era el título del disco y también anunciaba "baión Delicado" y allí iba, y lo seguía "el ratoncito Miguel". Pasodoble. El tablado, como fue dicho y no hay tu tía, daba a la calle principal, dejando despejado el territorio del boliche, que por algo ponía el huevo.

Bastaba con que se aproximara un camión ritmeando el redoblante, bombo y platillo, para que de las casas, los corredores, el convento, todos, las mujeres antes que nadie, salieran arrastrando una silla plegable de playa y, cuando no había, el banquito del mate o la del juego, que así se llamaban las iguales del comedor, y allí tenía una playa de butacas y los murgueros *trailalará* meta mímica y coro y la batería que no cesa y "correte, chiquilín", que la botijada se arracimaba en la escalera, y chau, por fin arriba y meta popurrí y abajo un lleno y "a cinco lo verso que cantan los Pato Cabrero", y era una fiesta. El barrio era una fiesta con redoblante, bombo y platillo. Pero los murgueros eran conocedores y dos por tres se desaparecía algún nudo de la cuerda de voces y al rato volvía y salía el relevo y la gente se cagaba de risa y alguno, serio, "no puede ser, qué falta de respeto".

La Cristiana y sus pupilas desgranaban la murga, conocedora por otros carnavales. Les hacían tarifa al lote. A veces la muchachada aplaudía al que regresaba, lo dejaba pegado y el pinta hacía un gesto de "quevachaché" y ya se integraba al popurrí.

Al Lolo le llegaron quejas, que dejaba correr. Pero no podía con una notificación, eso del sello y la moral y las buenas costumbres y chau. A negociar. Se encontraron con la Cristiana un domingo de mañana en el saloncito del Peluquero, vice presidente del tinglado, y Seijas, con el corazón en la mano, le cantó la justa y ella, "y yo que quería contribuir con un aviso". El Lolo se espantó, "gracias, gracias, muchas gracias". Imaginate, entre "Tiendita París, de todo para el país", y "Panificadora Pan de Dios, el bizcocho que te gusta a vos", intercalar un "Establecimiento La Cristiana, te cambia la sábana", y los avisos eran así, con verso a cargo de Seijas, que quiso ser payador pero no tocaba la guitarra.

Finalmente hubo un acuerdo. "Somos vecinos, doña, usté sabe, qué necesidá". Porque tal cual, eran vecinos y buenos vecinos. Y el convenio fue, y fue respetado. Hasta que no iluminara la lamparilla amarilla, nada.

Era la luz de "cerrado", "chau", "no va más", cuando las sillas volvían al comedor, el espectáculo entraba en reposo. Y hasta entonces, en el establecimiento, colocado por la Portera entre el vidrio de la puerta cancel y la cortinilla, el cartel que confeccionó el quinielero, ducho en números y hábil con la letra, que rezaba: "no se atienden murgueros ni lubolos hasta la amarilla". Y al pie, una lamparilla dibujada con rayos en derredor, como un santo coronado, o un sol escolar. En blanco, nomás, sin amarillo.

Solo hubo bronca cuando actuó el Trío Santomar, que eran dos, pero para la gente faltaba uno y los silbaron, hasta que el Lolo agarró el micrófono y explicó que el trío era de a dos, nomás, por razones presupuestales, y llamó a la cultura, se apagaron los chiflidos, y chau. Había un respeto.

Digan lo que digan, pero lo que más rinde en la olla es la polenta. Y por la tarde, bien calentita, un tazón de polenta con leche. También al alba, cuando se avivaban los trasfogueros nocturnos y se volcaba, en la olla mediana, la leche que venía en tachos y botellas y ahí se agregaba el gofio y un paquete de azúcar o dos, y se acopiaba el papel que los envolvía, papel para fumar, porque azúcar y yerba eran sueltas y envueltas en papel de estraza con las dos moñitas en la punta, que se armaban con dos vueltas al cierre del paquete.

A esa hora llegaban los médicos y algunos enfermeros, mujeres la mayoría. Los del hospital venían con su valijita de medicamentos y estetoscopios, una sonrisa y seriedad cuando a alguno, y no a todos, les trataban de explicar que eso de estar ahí los empeoraba y que el jarabe es poco, no existe, existe pero no da, y alguno los puteaba por infiltrados del enemigo, porque también a esa hora se relevaban las guardias, que eran cortas porque el aguante no era mucho, un par de horas por la noche, cuatro al día, guardia de piquetes en las puntas y en el medio con barricada al frente, hacia las barranquitas que daban al parque, donde también se había instalado el milicaje azul, serio, con gorra con visera y escarapela o cucarda de gallito alerta, emblema de la autoridad, palo en mano. Pero por las puntas había caballada, era la Republicana, y los caballos bosteaban y triscaban del pasto del parque público.

Esta vuelta habían llegado más médicos y jeringas que otras veces, y enfermeras con bizcochos y unas vitaminas de muestras gratis, que habían juntado entre visitadores, bien dispuestos todos.

Entre los doctores había uno de bigotito, medio retirado del resto, que no llamó la atención porque venían de todas partes a dar una mano. Tenía túnica blanca, de médico, con nombre bordado en el bolsillo, que prensaba una lapicera, a lo doctor. El bordado, deslavado por el uso, decía "Jorge", pero si uno miraba con atención hubiera notado que habían sido deshiladas algunas letras, que podían descifrarse leyendo los agujeritos que no cubrió el almidonaje de la túnica, y se leía "Jorgelina", que así se llamaba la vecina, maestra jubilada, que había hecho lo que no está escrito por convertir su entrañable uniforme de maestra en túnica destellante de doctor, doctor que sostenía algo que podría ser un maletín de cuero con chapa metálica: KURT.

Aquella mañana Menéndez se despertó litúrgico. Tenía los gestos más vivaces, alegres diría, y un canto gregoriano o de natalicio, que no del Señor. De alguien. No lo dijo, era alegría con pena o tristeza o nostalgia o algo peor, que no sé. Por llamar a las gallinas y desparramar maíces a manos llenas y sustituir el *prrrrr pipipipí* por un canto fresco, amoroso, que no era de los suyos, militantes, ácidos, guerreros, no, este era un canto de alguien, muy próximo, muy querido, muy distante, muy ausente.

Tiré un limón al aire
por ver si maduraba.
Subió verde y bajó verde,
mi querer nunca se acaba.

Uno puede pensar en una niña que juega a la rayuela, Menéndez hubiera dicho "a la pata coja", o en la mujer, con falda floreada, que amasa ropa en una tina de piedra, el pelo recogido en una pañoleta, y el canto. Pero eso lo ponía uno, aunque no fuera de uno y sí, tal vez, de su memoria.

La voz del Gaita raspaba, como si tuviera lija en las cuerdas vocales, voz de coro en marcha, voz de marcha con cantos que alientan, estimulan. Y marcan el paso. Marcar el paso ahí y así permitía pisar fuerte, no había dudas, se sabía qué hacer, dónde ir, hasta en la retirada. Nadie marcha titubeando, se marcha porque se vino a marchar y se sabe dónde ir. Y eso se canta.

Ese día pensaba cosechar en el primer baldío plantado. Tierra negra, linda, gorda, Dios la bendiga, que él no lo decía pero a veces pronunciaba, no por su cuenta, por cuenta de alguien, tal vez de la mujer de la pañoleta y falda floreada que canturreaba al pie de la tina. Y ese cultivo, casi en sazón, de buen cuerpo el fruto y que aguardaba intacto; bueno, intacto no, pero con volumen suficiente como para llenar una carretilla de choclos, que hasta a la chala le sacan partido, que fuman armando con papel de estraza, y el Paisano Rivas lo instruyó sobre los beneficios saludables de la hoja de chala para armar tabaco, porque la chala no tiene alquitrán, como la Jaramago, una hojilla que venía en librillos, "insaludable" por insalubre, y el Gaita comentó, vaya a saber por qué asociación subconsciente y anarca, "papel como de Biblia".

Pasada la epopeya, el Negro se desvinculó del mundo. Ahora lo que escuchaba era el grito guerrero de su hermano, como si le hubiera dicho

—que de pronto no dijo nada, viste—, yo tengo mujer, botija, enderecé mi vida, mirá cómo estás vos, y ando con lo justo pero tengo mujer, y a lo mejor, que no sé si dijo, hijos, cuñada, esas cosas; así que se fue y le dejó media botella de la segunda grapa que se bajaron; el de la Mirada bajó cortina después del "tengo una Leona que hace temblar las columnas", y manso, entró a disolver el tartagal, la carretilla, el cobertizo, Menéndez y las gallinas.

Y allí quedó, sin escenografía, mate y trago, lo demás no existía, y entró a mascullar primero, murmuró después, y finalmente discurseó sus sentimientos o pensamientos o fantasías, porque estaba solo y no había nada ni nadie; pero había, porque Menéndez, sin mirarlo, lo oía cuando en una frase levantaba la voz y le llegaba una frase, deshilachada, incoherente porque el contexto se había susurrado, pero Menéndez, quieto, respetaba; al mismo Menéndez tantas noches se le volaban el techo y los maizales, las paredes, y quedaba así, solo también, panza arriba con los zapatones puestos, en el catre desolado de entorno y contorno, y hablaba, discutía, afirmaba, murmurando mucho, preguntando más, "¿por qué?"; por eso al Negro de la Mirada no lo perturbó ni en el momento en que el fuego se le vencía y ya reclamaba alguna leñita, y Menéndez escuchó que el Negro era de pueblo de tierra adentro, y que él también mencionó gallinas coloradas, y decía de una fiesta, como de navidades o fin de año o vaya a saber qué, pero fiesta, y cantarola; pero también saltó por ahí un patio grande, muy grande, donde algunos hacían fútbol y trillaban todos, y muros, preso, tal vez; y habló de Rosita, y esa Rosita sonaba a novia, o algo más, mucho más, y fue cuando volvió a la fiesta y había acordeón y tamboriles, y bailó, y es de suponer que bailó con Rosita y había mucha gente y vino, pero "estoy pa' la cerveza", dijo, nítido, se ve que hacía calor y de pronto lanzó la voz y era como la del hermano, lo que se hereda no se roba, y era como una respuesta, porque su vida tangible era tanto o menos que una vida en la memoria que con él iba donde él fuera, y cerró el discurso con un:

"Bueno, pero por lo menos acá estamos todos juntos, ¡carajo!".

"La marcha, acompasada al himno, se animó. Parecía una revista militar de inusitadas galas, de miserias ocultas tras la altivez. Las luces de las casas se encendieron y, a través de los balcones y portales abiertos, multiplicaron el alumbrado de la calle. Las gentes, agolpadas a nuestros flancos, nos alentaban con vivas y aplausos. Cabeza en alto y pecho saliente, alineamos la formación y acentuamos el ritmo con redoblada energía.

Cuando salimos del pueblo, otra vez se nos presentó la carretera larga e interminable. Un frío glacial, seco, castigaba nuestras caras y manos. Al poco rato, un gendarme se sentó a descansar, agotado, con el máuser sobre las rodillas, a la izquierda del camino. Enseguida, otro lo imitó. El peso del fusil, el correaje repleto de balas, les impedían aguantar el ritmo de la marcha. La disciplina aflojaba.

De pronto, la columna hizo el primer alto desde la salida de Le Perthus. Se transmitieron instrucciones, mientras los oficiales nos iluminaban con sus linternas. Descansaríamos media hora, sin desplazarnos de nuestros lugares en las filas. Nos autorizaban a sentarnos en el suelo. Los que tuviéramos necesidades fisiológicas tendríamos que satisfacerlas al costado de la columna, previo permiso del guardia más próximo y bajo su vigilancia. Harían fuego sobre cualquiera que intentara fugarse.

Por un momento asenté las nalgas en el macadam, pero me levanté, porque sabía que en media hora mis pies se enfriarían sin remedio y ya no podría ponerlos en movimiento. Girando sobre mí mismo, apenas flexionando las rodillas marqué el paso en mi sitio, con cuidado de que mis plantas se apoyaran en la grava lo menos posible.

Terminó el descanso y alineamos filas para reemprender la marcha. Nuestro ánimo había decaído. También el celo de los gendarmes había cedido a la fatiga y su tono autoritario se esfumaba en un mismo cansancio que, de algún modo, nos igua-

laba. Conversábamos en voz baja. ¿Cuánto faltaría? Pasaron más kilómetros de esa marcha sin escape. La carne viva de mis pies se había pegado al cuero vivo de los borceguíes, como si la sangre, al secarse, se hubiera convertido en argamasa.

Más adelante, donde la ruta se bifurcaba, la columna se dividió. Los gendarmes encauzaron hacia la derecha a los pelotones de la cabeza. Iban a Argeles, según dijeron. Los demás seguimos por el camino de la izquierda.

'Vite, vite', nos decían al tiempo que las linternas vigilaban la separación de los grupos.

Recorrimos todavía otro trecho. La carretera terminaba y vimos una especie de portera abierta en una triple alambrada de púas. Negros senegaleses, armados hasta los dientes, montaban guardia en ella. Se oía el romper de las olas del Mediterráneo. Estábamos en una playa. En grupos de dos, de tres, de seis, de diez, caímos rendidos en las arenas heladas del campo de concentración".*

No se sabe cómo, en el barrio se corrió la voz de que en el estadio había un hojalatero, y que salía mucho más barato que el taller de Garrido, que por taparte un agujerito de nada en una sartén, te fajaba. No era para tanto, Garrido, que tenía un tallercito en el zaguán de la casa y dos piezas al fondo, trabajaba a conciencia y cobraba, cómo no, pero sin fanatismos. "Yo le sueldo el aujero ese de la sartén, y por ahí no se le escapa ni una gota hasta la eternidá", decía Garrido, que tenía la empresa frente a la iglesia Tierra Santa y era un atractivo para la clientela del lugar un hojalatero que lo despedía con un "vaya con Dios". Y cruzaban la calle. Es un decir, no cruzaban nada.

Lo de Jacinto era otra cosa. Al "¿cuánto es?", respondía "nada, nada, lo que guste". En realidad, el diálogo no era en directo. En la carretilla del Canchero se embarcaban desde el puerto de salida, que era el espacio comprendido entre la puerta de entrada al boliche del Recreo y el pizarrón de quinielas que nutría de números el Macho Gutiérrez, a medida que la radio cantaba el sorteo. Y era su tiza quinielera la que envolvía con un círculo —que, por deformación profesional, le salía como un cero—, el punto débil de la cacerola o la caldera, que allí se iban, dos o tres cacharros colgados, que repicaban entre sí, cuando zarpaba la góndola rumbo al campamento, atada a cuerda su carga de gofios, yerbas, arroces, y la batería de cocina tintineante, música para navegantes solitarios, que así arrancaba el Negro de la Mirada, con la visera de la gorra alzada, como almirante que zarpa con viento en popa.

Jacinto se había hecho un fogoncito, de fuego concentrado de alta temperatura, un "alto horno", como para ablandar las varillas de estaño, que aplicaba al fondo de olla, que luego probaba y desinfectaba la Rodríguez, por aquello de que "el fuego mata todo", y hasta en alguna oportunidad hizo uso de una cacerola, que no tenían, y le cocinó una sopita donde no faltaba nada. Y así comieron, rancho aparte, de lo más matrimonio, con una Rodríguez atenta, tanto, que llamó a Virgen de Lurdes para que se tomara un plato muy sano. Y le dijo a la niña lo que le escuchó al Castillo, que no sabía qué hacer con la Virgen y pensó en que vendiera cande suizo, y va la Rodríguez y le dice "digalé a su padre que yo hacer cande sé, que faltarían los papelitos". Y le agregó, al plato de la niña, una papa entera.

La verdad era que la carretilla iba a quedar corta; la cosecha del primer baldío, a pesar del tímido diezmo barrial —luego se desacatarían—, daba como para pedirle al Rengo Pérez un viaje de carro. Pero no salían del saludo, sin palabras, en silencio, dos dedos a la gorra de lana el Rengo, dos dedos al sombrero el Gaita. Ya habían tenido un cruce de palabras y Menéndez no la llevó bien cuando le pidió la bosta del matungo para abonar los maizales, y con ganas hubiera insistido, total, eso se perdía ahí, sin provecho, porque había conseguido unas papas para semilla y ya tenía marcado el terreno, no muy lejos, y la papa da dos cosechas y no está a la vista, difícil que vengan a rastrillar a dedo por un balde de papas, que si vienen, Dios los bendiga.

Así que Menéndez pensó en varios viajes y le avisó al Canchero que se traía el transporte para las casas —que se decía así, "casas", aunque no fuera más de una y corta—, y empezó a estibar. Trabajoso el cargue sin bolsa; las mazorcas se le iban al carajo, apilaba y ahí desparramo, bolsa no tenía, y en eso estaba cuando el Rengo pasó con el carro, vacío de alfalfa, hecho el reparto a tambo y carreros, y desde la calle lo vio, callado y duro, como siempre. El matungo con orejeras quieto, el cuello vencido y el Rengo al pescante, una tabla sin respaldo. Observó, observó y se mandó un "¡hay que ser gallego, mismo!", y Menéndez, que lo había visto, lo vio. Menéndez de gacho puesto, los tiradores elásticos y anchos verticales sobre la camisa, y una mazorca en cada mano. Se miraron. Parecía una escena del lejano oeste, Menéndez con un colt en cada mano, el sombrero sobre los ojos; el Rengo en la diligencia con el correo y la remesa de la Compañía Ferroviaria. Se miraban. Fija que el Rengo tenía el rifle cargado y amartillado ahí nomás, a una cuarta de las riendas que sostenía con una mano, y la otra ¿dónde?

Menéndez ya sabía que el Rengo Pérez era de mal talante. Sabía que era solo y de cadera quebrada, desde aquella vuelta que, saliendo por las noches, no siempre, le avisaban cuando iba al paso por otros barrios, sabía dónde, y por ahí salía el hijo con otro compinche cargando candelabros y platería, cubiertos, cosas, arrastrando una frazada que las contenía, con las puntas atadas, y de ahí la levantaban hasta el carro, y el Rengo se iba por ahí y los muchachos por allá. Hasta el día que, desde las casas (en realidad era un chalé), alguien los tiroteó y el hijo respondió con un 38 largo, que para peor era del Viejo, que entonces era el Viejo Pérez, pero no Rengo, y quedaba como que viejo fue siempre, y el compinche del hijo no alcanzó a levantar el matute, pero se protegió en él mientras rescataba algo de platería —no era cuestión de laburar al pedo—, y cuando el del chalé recargaba, se las peló, salió corriendo, y el Viejo, que no se iba por el hijo, y el hijo, que le gustó la del compinche, levantó lo que pudo y tiró el 38 p'al carro, "cubramé, Viejo, que ya nos vamos". Y es ahí que se para, para recoger el fierro, y un chumbo del chalé le parte la cadera.

La sacó barata. La cadera soldó, pero a lo pobre. Rengo. Lo interrogaron en el hospital, pero ya corrían tiempos de policía técnica y las huellas no eran suyas. El hijo cayó. Lo visitaba cada tanto, con fruta y tabaco. Y el matungo, fijesé, nobleza de animal, siguió mansito, al paso, y volvió a las casas y allí esperó. Dicen que el Paisano Rivas le quitó los arreos, alfalfa había y cada tanto Rivas mismo le llenaba el bebedero. Cuando volvió Pérez, el matungo lo aguardaba. El Rengo lo abrazó por el cuello y murmuró, emocionado, "gracias, m'hijo".

Y allí estaban. El ofensor de la diligencia y el ofendido desenfundado. Aguardando.

"Gallego, mismo", reiteró el de la diligencia. Pero Menéndez no tuvo tiempo de tirotearlo. Pérez, tras cartón, le largó un:

"Cargue el carro, hombre, que en un viaje despachamos".

Y el Negro de la Mirada, desde la orilla del tartagal, mateando, va y le pregunta a Menéndez, "y usted, Menéndez, ¿cómo vino a dar acá?".

Y el Gaita, desde sus territorios interiores, vedados al mundo exterior, dijo, tarareando, no para el Negro, al aire, nomás: "fandango de la maleta". Y mientras abandonaba su sillón de mimbre y retornaba a las casas, que las tenía dos metros tras sus espaldas, se entró canturreando:

Maleta,
le dijo el Paco a la Carmen,
vete a alistar la maleta
porque dentro e poco tiempo
nos vamos a freír puñetas,
le dijo el Paco a la Carmen.

Y desapareciendo tras la puerta abierta, cerró su sermón en clave de fandango: "¡Coño!".

Iban apareciendo casas; las calles, torrentes de hormigón, iban creando un sistema circulatorio, el barrio naciente crecía. Era muy lindo.

Pero era tanto el baldío disperso que con calles, casas nuevas y todo, uno tenía la sensación de, como dijo Menéndez una vuelta al mostrador, "no nos moverán".

A él le gustaba que fuera así. Allá lejos y hace tiempo, las casas, la aldea, el pueblito, estaba enclavado en familia. Luego, el campo. Y al campo se iba al alba, "un trozo de tocino, pan, un vaso de vino, y al campo". No es posible salir de las casas y no ir al campo, ese campo que en el recuerdo de Menéndez, Menéndez era niño. "Chaval", decía. Siempre me llamó la atención el desayuno gallego y para un menor. ¿Por qué no leche?, "no teníamos vaca; eran del señorito". En fin. Eran tierras pedregosas, pobres, una majadita de nada que había que llevar a pastar y abrevar a la sierra; todos eran cabreros a su edad. Los padres, a la tierra. A arrancar trigos a la piedra.

Menéndez, con el tiempo, temió que se le vinieran las construcciones encima, que lo dejaran sin tierra, sin aire, ahora, justo ahora que la papa venía creciendo de hoja.

Una vez se detuvo frente al potrero donde la botijada corría detrás de una pelota de goma colorada. Disfrutaba de verlos, las manos apoyadas en el tejido y los dedos gruesos como aprisionando la alambrada, como aquella que los cercaba en una playa francesa con horizontes de Mediterráneo.

La alegría de la purretada no era de risas, era una alegría de piernas sucias y championes semi derruidos, de gritos "pasala, comilón", y polvaredas en el área que defendía desde el arco el Yeye, con el que siempre teníamos lío porque marcaba los palos con ropa, la suya, y achicaba la extensión. Pero era todo un "golquíper", como decían los que transmitían los partidos de primera, tanto que una vuelta se apareció con algo nunca visto, ni en el estadio; se lo habían traído de España, el padre, que era falangista, y eran como dos vendas elásticas que había que descalzarse para ponérselas, y las subía hasta las rodillas; entonces sonreía, orgulloso, y nos informaba como a indígenas: "rodilleras".

Y el Tito Payuca, que jugaba descalzo, le piantó la sonrisa: "Marica".

Entonces alguno recordó, tiempo después, que había visto a Menéndez, riendo.

Ese hombre sereno y bien plantado en el campamento, ese general de la olla, sable-cucharón en mano, altivo, respetado, oído y escuchado por todos, consejero, con gorra de visera que podía ser de almirante si no fuera por la mugre y el desgaste, ese hombre, digo, era otro, no exactamente otro, era el mismo, pero era otra faceta del mismo hombre.

Oculto en el tartagal, era un fugitivo. También él había cruzado la frontera de Irún. Venía de una batalla ganada y una guerra perdida, y perdida estaba su expectativa: volver al hospital, aguardar allí la medicación, el churrasco esquivo, la utopía de un jarabe alemán. También podía ser detenido, y aun en ese caso su destino sería, indefectiblemente, el hospital.

Era un refugiado. La cabeza de un refugiado es una calesita de pensamientos, opciones, planes. ¡Si lo sabría Menéndez! Reorganizar lo que fueron, desandar la retirada, volver a la Sierra. O el ya no es posible, qué diablos, sueños, fantasías, ya no hay marcha atrás, todo está perdido, y ahí aparecían nombres de hombres, partidos, países, que eran responsables, "si hubieran...", "nos abandonaron...", "cabrones". Pero de parietales adentro. Hacia fuera, nada. Volver a ser lo que era antes de la guerra, no eran días, los días de muchacho no corrían. Retornar, cuando las aguas se calmaran, ¿cómo? Europa hervía en guerras, si lo sabría él, que estuvo en la primera trinchera que se abrió en España contra el fascismo.

Mujer, hijos, familia, campo. Un recuerdo ahí, siempre ahí, fuera donde fuera ahí, sin compartir, solo para él, eso no se lo quitaron, no se lo quitan, para él, y para siempre.

Y ahora ahí, el Negro de la Mirada, inquieto, como perdido, con la misma calesita que tuvo de parietal adentro, y eso pensó que le iba a llevar un tiempo, elegir el trillo, como el suyo, gallinas, vinos y maizales, y una vida de ayer que llevaba consigo en el hoy eterno, testimoniada por esas fotos que incluían familia y un muchacho en "alpargates", que así las llaman en España, con un fusil en bandolera y una sonrisa en la cara, puro diente.

Fue entonces que el Negro de la Mirada, que guardaba en sí los restos de la charla silenciosa con el de "tengo una Leona que hace temblar las columnas", que alzó su voz en un grito de familia, lo que se hereda no se roba: "¡Tirame un centro, Dios! ¡Tirame un centro! ¡Nunca me tiraste un centro!".

Médicos y enfermeras, no solo del hospital, armaron un consultorio, o policlínica o emergencia o sala de guardia, en el ángulo de la tribuna y la entrada al talud, del lado de abajo, claro. Estaba protegido, daba la luz, y un fogoncito prolijo, con cacerola de aluminio sobre los adoquines y un fueguito de brasas "para no tiznar", que allí se hervían las jeringas o las agujas y no sé qué más, porque el agua para el mate se la traían, atentos, del fogón grande. Habían colocado un par de caballetes y sobre ellos dos tablones que fueron del Rojo Cardenal Patente, con papel en rollos que extendían "como allá"; "allá" era el consultorio de allá, el hospital, y había cola, se daban inyecciones, raciones de pastillas, "tosa", "aguante el aire", y meta estetoscopio y diga "treintaitrés"—y me pregunto qué número dirán en Rusia, un suponer—, y andaba Zacarías con el nombre bordado a nombre de otro, esquivando a los colegas y viendo por dónde les iba a entrar, no a ellos, a los internados de la tribuna, y más que a ellos, a familiares, que alguno se arrimaba y había que estudiarles las pilchas para ver qué nivel y si había numerario. Todo venía pobre, muy pobre. Pero la necesidad tiene cara de hereje y qué no hace uno por un hijo o por el esposo o por el padre, un poco menos, así que si algo tenían podían comprar, al costo, un frasco de esperanza, alemán, auténtico; y no descartó, la audacia del doctor de la túnica almidonada, entrarle a los médicos, "una partida de muestra que llegó de Salud Pública"; pero las muestras son gratis y sin valor y los médicos no tenían un mango y podían batir; alguna enfermera, de pronto, muy cristiana, y entró a mirarle los pechos, no por los pechos, por ver si andaba de crucifijo. Y fue ahí que, para darse confianza —como cuando se entra a la milonga y hay que campanear las minas que sepan bailar, que uno va y enciende el faso, y es como apoyarse en un mostrador, te afirma—, Zacarías prendió entonces un faso. Pero a la primera bocanada entró a toser que le lloraban los ojos, que por lo general es lo que llora, y una de las enfermeras, que estaba de frente a los maderos del tablado y de espaldas a Zacarías, se dio vuelta con toda su cultura práctica y le dijo "doctor, esa tos no me gusta nada", "el tabaco", "venga acá". Y señalando a otro médico, sin túnica pero auténtico, dijo "auscultemeló", y atorado por la tos y la situación, Zacarías se dejó auscultar y dijo su "treintaitrés", y oyó el ruido de la frase que caía: "... no me gusta nada".

"La columna de refugiados avanzaba, lenta, deslavada, hacia Le Perthus. El último parte de guerra anunciaba que las Tropas Nacionales habían conquistado los últimos objetivos militares; el Ejército Rojo, cautivo y desarmado. La guerra ha terminado. Así de simple; así de simple: la guerra ha terminado".

"Estamos aquí. Esta gente no parece mala. No entiendo nada de lo que dicen. Los gestos, sí. Hemos

*llegado a Francia. Parecía que no íbamos a lograrlo nunca. ¡Cuánto frío! ¡Cuánta hambre! ¡Qué cansancio! Pero lo conseguimos. Manuel y Teresa parecen cansados. Han caminado demasiado. Menos mal que les dejaron sitio en aquel carro hasta La Junquera. Luego han andado lo suyo. Hice bien en ponerle las botas. No se les han calado los pies. Yo sí tengo deshechas las mías. No estaban ya muy nuevas. Se han rajado un poco por los lados. Siento los pies mojados... Hemos llegado, es lo que importa. A ver dónde nos llevan ahora... Necesitamos un sitio donde tumbarnos a descansar y algo de comida... A ver dónde nos llevan. Tiendas de campaña, como las de los soldados. Y allá, colchonetas. Con una nos arreglamos, pero que sea pronto. No puedo con mi cuerpo. ¿Las dos? ¿Para nosotros? Merci, merci. Así se dice gracias en francés, Teresa. Tendrás que aprenderlo. Merci. ¿Veis? Esta para mí y esta de al lado para vosotros dos. Echaos un rato. Tapaos bien con esas mantas, no me cojáis frío. Pobrecitos míos. Tienen que estar rendidos. Y hambrientos. Menos mal que aquella mujer les dio un trozo de pan. Lo que es yo, no traía nada. Todo agotado antes de llegar a Gerona. Parece que la gente se mueve hacia la entrada. ¿Para comer, dice? No quiero dejar a los niños solos. No, de ninguna manera. Tendré que despertarles. Da pena, se han quedado cuajados. Pero la comida es la comida. Y solos no los dejo. Nunca se sabe. Luego dormirán. ¡Venga, Teresa, Manuel, espabilaos! ¡Creo que vamos a comer! ¡Hala!***"*

Una de las sartenes que había llegado al taller era, diagnosticada por Menéndez, de paella para seis. Grande. "Esta", dijo la Rodríguez. "Hasta las seis", dijo Jacinto. Porque a esa hora partía el último viaje del "chevrolé", y el Hojalatero era cumplidor. Él dijo para hoy y hoy se iba la sartén de la paella. La Rodríguez, en tanto, había acopiado, con la anuencia del Negro de la Mirada, algo de azúcar, leche, que con agua se hace caramelo y la leche le da "elasticidá", y con eso y algo más —y el algo más fue un pedido—, un frasquito chiquito con esencia, donación del personal de la farmacia Corominas, sabor vainilla y oscurita, que le daría al cande ese colorcito rosadón y con aroma; pero no era todo, el Castillo puso lo suyo, recibida la media docena de cañas encargadas a Menéndez, las peló y con cuidado las rajó en vertical, dos mitades perfectas, que afirmó en el piso, con un adoquín en cada punta, para que no oscilaran a la hora de la colada del cande burbujeante, espeso, a punto de desbordar de la sartén, y entonces con un paño que fue pañoleta, envolvía el mango de la sartén, que calentaba, y en cuclillas iba volcando esa melaza aún oscura, luego rosada al frío, en el cañaveral extendido, que crujía sin rajarse, verde aún, y al que se había untado manteca a dedo, como a la sartén —para que no se pegue—, y luego, cada tres centímetros, de la misma caña, una cuña, también enmantecada; y ahí comenzaba la primera etapa de las tareas de la Virgen, que con una palma de butiá abanicaba la colada para enfriar y espantar las moscas —no sea que alguna se pegue—, y eso hasta que enfriara todo y del todo, y le dolían los brazos pero no aflojaba, algún suspiro, y Jacinto, que le enseñó una canción de barqueros cántabros para darse energía en un mar embravecido de olas y peces irritados así le decía, y la Virgen abría los ojos, y el "rema que rema, barquero amigo" era un himno de balleneros que creaba Jacinto, que nunca fue más allá del río, y que de océanos y naufragios solo tuvo nota de cuando llegó y zarpó y se hundió el Graf Spee a pocas cuadras de la playa Ramírez, que fue desde donde lo vio, o tal vez no, no lo vio, no fue a verlo, lo leyó, se lo contaron, pero hoy en su memoria, la memoria que se crea a sí misma, estaba en la playa Ramírez, tomando mate y la mano en visera para no perder la salida del acorazado que se suicidaría a poco de zarpar.

La Rodríguez había extendido azúcar impalpable sobre una tabla de obra, de esas con cal con destino de brasa y humo aromado de asado, pero cuidadosamente raspada y lavada, bien sequita ahora, ahora, que la rociaba con el azúcar, más liviana que un talco de bebé, y la iba extendiendo, como en una caricia materna; ella, que no tenía hijos y los quería. Muchos acampantes rodeaban el operativo, y entre ellos, Zacarías, disminuido, tristón, él tan sano hasta el imprevisto diagnóstico, que lo enfermó. Él estaba en primera línea, los otros más distantes. Tenía entre las manos un sobre de papel manila, sostenido con ambas manos, los brazos caídos, los dedos extendidos sobre el sobre, el pulgar del otro lado, del de adentro, una posición como de mártir que está haciendo cola, pero solo, separado del resto y, curioso, él, de ojos pícaros, hoy alicaídos, tenía esa cosa que nunca se le vio en el barrio: ternura. Y fue ahí, cuando la Rodríguez retiraba cande a cande de su nido, rasqueteando suavemente alguna fibra de la caña que se le había adherido, depositándolos sobre la tabla del talco para bebé, y en eso va y mira a la Virgen y luego a Zacarías y ahí va la de Lurdes y le toma la mano al mártir de la cola y lo aproxima a la tabla y ahí le extiende el sobre a la Rodríguez, que volcó el contenido de etiquetas de jarabe del Dr. Herr Prost hasta la boca del sobre de manila, no más allá, y eran como de papel manteca, rectangulitos impresos para un negocio que murió en la tos, y Zacarías murmuró a la Rodríguez "queda entre nosotros", y la medida del cande se hizo a imagen y semejanza de la medida de la etiqueta y fueron cuidadosamente envueltos y la Rodríguez se detiene y pregunta, "entonces, señor —a Zacarías vaya uno a saber por qué le decía señor—, hay que venderlos como cande alemán", "no doña", dijo Zacarías, los "suizos son alemanes". Y agregó, con convicción: "A los cande suizo, calman la tos, perfuman el aliento". Y la Virgen de Lurdes, que venía ensayando para su periplo tranviario, agregó, de lo más entusiasta, "tres por un rial, señores, tres por un rial, y son caseros". Y no había soltado la mano de Zacarías, y mirándolo desde abajo le dijo "gracias", porque sin etiqueta no había cande que valga, y agregó: "el primero pa' usté, señor; gracias".

Y si te cuento que Zacarías casi larga el cuajo, no lo vas a creer.

Al Negro de la Mirada le llamó la atención la comida de Menéndez. Para el Negro, sin carne no había olla. En la del Gallego, no. Por lo general, comía a navaja. Una de cachas metálicas, fatigada de uso, y dos hojas, una chica, que usaba para limpiarse las uñas, tan terrosas que un lavado no las barría, y entraba la hoja, rasqueteando de abajo ese barrito endurecido que al decir del Negro "en cuantito agarre agua, brota"; la otra hoja, grande, que tampoco era mucho —la navaja era de bolsillo—, sin belicosidad en filo y punta, casi roma. La usaba para el queso. Menéndez era del queso. Ponía sobre la mesa un rectángulo de madera, el plato, limpio, con mucho tajo de navaja, no muy profundos, y algo de brillo por tanta grasa lechera que circuló en tránsito por su superficie. Nunca la enjuagaba: "el agua hincha". Menéndez compraba del semiduro. Un buen trozo. Para el almuerzo cortaba grueso, raspaba la cáscara, que amontonaba en un costado de la tablilla y guardaba "para las gallinas, hombre". Y luego iba cortando en la medida que iba comiendo. Por pan, galleta. Galleta de campaña, dura, duradera, que conservaba en lata. A la galleta la trabajaba a pulgar, desprendiendo por bocado, tal vez por la tradición de que el pan no se corta. Completaba el servicio un vaso de vino. Su estilo era ceremonioso, calmo, casi ritual. Cuando se vivió con hambre se come sin prisa. Lo que está ahí, no se va. Está en reposo, aguarda ahí. Se corta el queso con pulcritud, las manos limpias. Alguna que otra vez lo acompaña una cebolla cortada en cuatro, condimentada con sal. Y el vino, también ahí. Un vaso. No más. En el almuerzo, no más. Y el vino luego de barrer las migas finales con el canto de la mano y recogidas en la palma de la otra para sorberlas desde allí, el vino, digo, se atendía de sobremesa. Tragos lentos, parsimoniosos, la mirada baja, sobre la mesa despoblada, pensando, tal vez, en otras mesas.

El Negro de la Mirada era de la olla. Mediana, renegrida, jamás lavada por fuera, apoyada en cuatro adoquines. Un hueso de caracú, papa, boniato, los choclos de Menéndez. Fideo. Entre guiso y puchero, que el Negro solía ofrecer a Menéndez en su plato hospitalario de hojalata y Menéndez agradecía pero no aceptaba. Y ahí estaban, viviendo a diez metros, cada cual en lo suyo y a lo suyo. Conversaban, eso sí. A diez metros.

Cuando empezaron a verlo a Zacarías acompañar al médico y la enfermera a las horas de la temperatura, pensaron que el bacilo —o el susto— lo había encarrilado, porque ahí iba, al firme, metódico, puntual, con un cuaderno que le facilitó la Lurdes, pobre, que la mandaron con una bolsa de cande y la recomendación de que no volviera ni uno. Y allí, en las hojas siguientes a la de las tablas y alguna división, anotaba nombre, hora, día y temperatura. En algunos ponía una cruz. En otros, nada. Para que pusiera la cruz tenían que, una vez que la comitiva médica pasara a otro paciente, ponerse con un real. Un real dorado, algo apagado, redondo, con un puma de una cara, rampante o paseante, no lo recuerdo bien, y del otro, un sol. Al que se ponía con un real, cruz.

Y junto a cada nombre, en la recorrida de la mañana, se iban ordenando, como para una compleja suma, pobre Lurdes, en su cuaderno, 37.2, 36.8, 38.5. La febrícula, el goteo diario de grados, que cae sobre el cráneo del paciente.

Al mediodía, la Virgen de Lurdes pasaba a ocuparse de los papelitos que habían sido del Jarabe del Doktor Prost y luego del cande suizo-alemán, más bien suizo por recomendación de Menéndez, que todo lo alemán le sabía a asco, por más cande que fuera. Entonces Lurdes volcaba a dos manos los papelitos que contenían los números de la febrícula y, a la vista del público presente, mientras Zacarías anunciaba: "vean, señores, todo legal, una niña", ella los arrojaba como fideos en una olla que reparaba Jacinto, y ahí los papelitos, para más prolijidad, se revolvían con una espumadera, también en reparación, y finalmente, a mano. En una última revolvida y mirando para otro lado, cerrando los ojos, la Virgen, para más legalidad, sacaba un papelito, lo alzaba, flameando a la vista de todos y luego en voz alta leía y Zacarías recién entonces tomaba el papel y repetía en voz terminante el número triunfador: "37.6, señores, 37.6 gana, señores, todo a la vista". Y el 37.6 se aproximaba y Zacarías separaba el montoncito de reales, previa quita del doce por ciento, diez para él, por organizador, y el dos por ciento para la Lurdes, pobre, por niño cantor.

Una vuelta, Zacarías se había anotado con su 38.1, pero hubo bronca, por aquello de juez y parte y por lo otro, de andá a confiarle.

La tómbola nocturna era de a medio. De a medio por respeto. Cualquiera sabe que al atardecer los termómetros suben, y hay más enfermedad, por eso la peña era chica, hasta que el Castillo va y le dice, "oiga, don, por qué no hacemos una gorda a la temperatura más alta, los domingos", y la iniciativa fue bien vista y hubo un domingo con una de dos reales, que no entraron todos, y el sorteo se hizo y ganó un 39.2, perteneciente al Castillo, bien ahí, que ya se alzaba con el gordo de fin de noche y ya casi casi embolsaba cuando Jacinto el Hojalatero, anarco, ¡qué joder!, sin dejar de martillar una soldadura, con voz grave y nítida dijo:

—Se metió el termómetro en el culo.

Y ahí fue el desparramo. Alguien puso una tapa de olla sobre los reales, y Zacarías: "Castillo, ¿cómo me hace eso?" y el Castillo a punto de retrucarle: "eso lo acordamos los dos, no joda", pero nada dijo, porque había alboroto y el Negro de la Mirada va y se planta "¿y qué pasa acá?", y alguien "usté sabe, Jefe...". "No me digas Jefe". "Usté sabe que la temperatura del orto canta siempre un grado más".

La primera medida que se tomó desde enfermería fue suprimir, por resistencia generalizada de pacientes, la temperatura oral.

"No volverá a pasar", sentenció Zacarías. Pero la duda ya estaba instalada y no hay palabra que barra la desconfianza. Tanto, que los timberos designaron un veedor para acompañar la comitiva del termómetro.

La sesión en el Parlamento se hizo a puertas cerradas y con prohibición de presencia en las barras. Es que los interesados podrían presentarse y se supo que más de uno andaba merodeando.

La discusión fue, por lo menos, culta. Había legisladores médicos, legisladores abogados, legisladores de campaña. Y por ahí se escucharon citas que involucraban a Galeno y Paracelso, Hipócrates, y al doctor García, de Tacuarembó.

Intervenciones hubo, de cátedra. Otras, deportivas, más pragmáticas. "Hay que curar, sí, pero del estadio se van".

El espacio legislativo era espléndido, europeo, barroco, pullman, cuadros patrios, vitrales, caireles, bar. Los ujieres de servicio vestían como para ir a Estocolmo por el Nobel, y ni te cuento el personal de las leyes, desenvainando que ni D'Artagnan, metáforas, sentencias, citas, mucha justicia, libertad, derechos. Como para Molière. Pero no todos espadeaban; espadeaban los jefes de bancada. El resto, al decir de los fatídicos ujieres, giraba bajo el marítimo nombre de "los mejillones". Mejillones, porque lo único que se les oyó decir durante el ejercicio, luego del chisporroteo de tizona de sus jefes, eran estas dos palabras: "me adhiero".

Pero legislaban. Decidían. Votaban. Votaron, por ejemplo, un rubro específico para el establecimiento hospitalario del caso, con recomendación de que fuera pintado de blanco porque era más higiénico, medicamentos, manteles, uniformes en gris, sí, pero claro, y una especificación subrayada, la conveniencia de actividades manuales, que distraen, y que pueden ser producto de venta por parte de los familiares de enfermos, y contribuir así a la manutención del enfermo y su familia. Y esto era tan remarcado, porque el miembro informante recordó, mencionó, destacó, a la par de la necesidad de mejorar el clímax (así dijo: "clímax") en que se desarrollaba la recuperación de los compatriotas (también dijo así: "compatriotas"), el alerta ("alertó") en pro de la seguridad ciudadana, que un campo deportivo puede ser contaminado, como contaminados pueden ser los consumidores de garrapiñada y cande suizo (y ahí saltaron los nombres propios de Jesús el Garrapiñero y la Virgen del Cande) y de ahí la conveniencia de la manualidad, y recomendaban molinillos de colores para los niños y panderetas con cintitas, también de colores, que alegran. Lo demás era responsabilidad del Ministerio correspondiente.

Y en eso los vecinos barranqueros abandonaron su mirador, porque desde allí, a lo lejos, vieron una tromba en el horizonte, como un nubarrón en movimiento, "un tornado", dijo uno, "... lo parió", agregó otro, "vamo, vamo", comentaron todos, "se viene el agua". Pero no era el agua. La avanzadilla de aquella tromba comenzó a gotear, una aquí, otra allá, caían medio desarticuladas pero se enderezaban enseguida y a lo suyo, y entonces la retirada fue en estampida, y uno "y esa pobre gente", y en la desbandada, otro, "están bajo techo".

No quedó nadie. La barranca vacía mientras un manto en movimiento caía sobre los pastos, la copa de los árboles, los árboles, los bancos pintados de verde. Aquello había llegado de no se sabe dónde, apareció a lo lejos, la gente abandonó las calles, se encerró en sus casas, cerró las ventanas y miraba lo que seguramente fue una de las siete plagas bíblicas de Egipto, y alguna voz que gritaba "cerrá las persianas", porque aquello golpeaba contra los vidrios, que no conocían y pensaban que era todo cielo, aire, y se estrellaban, primero alguna que otra, después en cardumen, violento, y andá a cerrar las persianas sin abrir la ventana.

Los del campamento se agruparon, alguna mujer gemía, gritaba, "ay, ay", y el Negro de la Mirada "¡cubran los alimentos!", porque aquello avanzaba y no se daba tregua, eran muchas, tantas, eran todo, ya no se veía el otro lado de la calle, ya ni la calle, y golpeaban contra el piso, los muros de la tribuna, los cajones, la gente, y allí donde iban a dar, se reacomodaban luego de un vuelo eterno, hambrientas, jadeantes, cansadas, irritadas, en patota, y las mandíbulas metálicas segaban todo, el vientre alargado recibía volúmenes y volúmenes de verdes, tenían algo con el verde, y cosa curiosa, no engordaban, ni se dilataban, ni se saciaban; eso no es humano, la bodega tiene un límite, las de ellas no, "dónde mierda meten todo eso, ni siquiera lo cagan", "Dios mío, ¿quién las envía?" y los brazos molineaban porque se les iban a la cara, el pelo, y la Rodríguez que va y se hinca y va y dice "he pecado", pobre la Rodríguez, que pensó que aquella manga de langostas la había enviado Dios para castigarla por su amorío con don Jacinto el Hojalatero, con el que solo había, hubo, hay esa vibración que precede al enamoramiento, "pero Él ve todo", pobre, y lo que había visto eran sus fantasías, "fantasías, sí, pero ¡qué fantasías!". Y eran, sin vuelta de hoja, pobre la Rodríguez, como para una manga de langostas.

Cuando pasó el tornado y aquello no era más que una tormenta tropical, sin langostas por el cielo, al suelo todas, pero muchas y comiendo, Menéndez, sin expectativas, manso, recorrió sus plantaciones, aquí, allá; las vecinas saludaban golpeando la puerta de cancel, con un gesto de la mano, sin salir, porque el patio de claraboya tenía cretonas, malvones, helechos, vivos. La puerta fue barricada contra la tempestad. Y los que tenían un cerco de transparentes o un jardincito con hortensias y calas, nada.

Hasta las bocas de sapo. Nada. Los cebollines, de hojitas tan larguitas, esbeltas, románticas, jugosas, nada.

El potrero de la botijada era una extensión parda, sin un yuyo, que ahí se daba la manzanilla, que las pibas cosechaban para enrubiar el pelo, como si el área chica, donde nunca creció el pasto, se hubiera extendido de arco a arco, la esquina del córner, la línea del óbol.

Habían salido las cuadrillas de barrenderos, con el cepillo grande, cerdoso, negro, ancho, que no se daba tregua, el que se la daba era cada tanto el barrendero para armar un tabaquito, pero el cepillo, si por él fuera, seguía. Porque todos y todo le habían tomado inquina a aquellos bichos que de a uno, vaya y pase, pero así no. Quedaban por las veredas, prendidas a los troncos de los plátanos, fatigadas de comer pero comiendo, ya sin vuelo, un saltito a lo sumo, y crujían al paso del caminante y bajo el zapateo de la muchachada que no perdonaba, pisando y pisando, jugando a quién pisa más, y a quién más devora, porque las gallinas, alborotadas por el maná que les llovía, no paraban; tanto que terminaron por poner huevos con yema verde.

Hubo balance en el campamento y alguna voz "¿se comen, che?", con pérdida total de repollos "mal cubiertos", "tapamos con arpillera". "Mal cubiertos". Algo de miedo, otro tanto de asco entre el mujererío, que barrían con la alpargata las muertas y aplastaban las vivas, limpiando. Las cuatro escobas de carqueja que se trajeron del hospital habían quedado en palo.

Regresó Menéndez. Con el mismo andar y el mismo gesto de la salida. Se cruzó con el Rengo Pérez, que saludó, parco y tono solidario:

—Nada.

Y Menéndez, también parco y tono firme.

—Raíces.

Y allí se mandó para su casucha y para sí se dijo "raíces, coño. Raíces".

Fue la Rodríguez la que vio antes que nadie aquel resplandor. Venía de la zona donde estaban formados, en la barranca, la línea de los que llevaban bolsa al cinto, con ojos como de bicho, de lobisón desencajado, vaya a saber, ella bien bien no veía, pero a bulto era eso. Eso de que eran máscaras no le entraba, las máscaras son lindas, asustan, pero son lindas, de carnaval. Y las chicas, las mascaritas, como de baile.

El resplandor la golpeó en los ojos. Se ve que muchos miraban para aquel lado, pero solo fue visto desde el sitio donde estaba ella. El sol, que asomaba como todos los días desde el otro lado del estadio, había golpeado algo que respondió con un *rejucilo*. "Traen como arma nueva", murmuró la Rodríguez a Jacinto el Hojalatero, que ya no soldaba. Iba redondeando nomás trocitos de estaño, los plomos, como bolitas, que acopiaba en una cacerola. "Qué hace, mi santo?", preguntó la Rodríguez. "Municiones m'hija. ¿No vio que hay hondas?" "Pero eso lastima, mi santo". "Así nos lo enseña la Sagrada, mi santa". "¿Qué Sagrada?", preguntó la Rodríguez en un respingo. "La Biblia, la Sagrada Biblia. David peleaba con honda". "Pero con piedra, no con plomo. Anoteló". Cuando la Rodríguez se enojaba o sentenciaba, le retiraba el tuteo al de la hojalata. "Anoteló". Pero el anarco viejo, que ni él mismo sabía que era anarco y menos anarco viejo, porque viejo, ¿desde cuándo?, pero sonaba a que toda la vida uno fue así, rebelde, entonces va y haciendo sonar en la cacerola la última munición va y le dice, "me cago en la diferencia", y la Rodríguez calló, algo colorada, y cambió o volvió al tema, "es una máquina que manda rejucilos para cegar", y dicho esto, la máquina, estacionada en el barranco entre el milicaje, entró a andar, y ya venía cruzando la calle.

"No", dijo Jacinto, "no es David, mi santa. Es Jesús".

La Rodríguez no ganaba para sustos. Eso de que viniera Jesús cruzando la avenida con una máquina de enceguecer no estaba escrito. "No, no", dijo la Rodríguez. "No es Jesús, bueno, es Jesús, pero el Garrapiñero, mi santo". La Rodríguez y el Hojalatero se trataban en términos de santificación desde que la superiora del hospicio, cuando los vio partir, cargando entre los dos las herramientas del taller, dejó caer sobre ellos la señal de la cruz, así, con dos dedos extendidos, el índice y el del medio, y arrolladitos el meñique y el anular, y dejó caer la frase que no correspondía a su graduación porque no estaba facultada, pero le salió del alma, "son unos santos". Entonces la Rodríguez y Jacinto la oyeron, se miraron y se sintieron santificados, y ella bajó la mirada.

La langosta no les había dejado nada sobre la tierra. La manga no solo devastó los verdes del mundo; fue también, en cuanto amainó a estado de tormenta tropical, dura y despiadada con los acampantes ajetreados, que sacudían mantas, barrían muertas y moribundas, avivaban el fuego —que hasta eso se comieron—, ordenaban los botiquines, calmaban a los perturbados por el impacto que les desquició los nervios y eso daba más tos, y eso tan fulero, cernían el arroz donde no se sabe cómo también allí se metieron. Y en eso estaban, más atentos a la devastación, en estado de reconstrucción de post guerra, olvidados de la Republicana montada y la Infantería policial en la barranca frontera. Estas habían capeado el temporal, sustituidos sus ponchos verdes, devorados, como si una mandíbula bestial les hubiera arrancado bocados; estaba la tropa recibiendo un desayuno extra de galleta, café y dulce de membrillo, junto con los ponchos nuevos, "esa polilla no jode más" y, ya distendidos, les vino la orden; el enemigo estaba descuidado, distraído, ocupado en rehacer el campamento; la langosta fue la carga de caballería ligera, les había roto las defensas, y ahí estaban ellos, con galleta y membrillo entre pecho y espalda.

Cuando estaba en el escritorio, lápiz en mano, concentrado, haciendo números, sumando, repasando libretas, parecía un matemático. El escritorio era la mesa del Café y Bar Parque de los Aliados que daba al fondo y hacía frente con el excusado. Sin mirarlo, el Macho Gutiérrez, abstraído en los cálculos, repetía maquinalmente, "cierren la puerta". Porque, en el mejor de los casos, la creolina hacía lagrimear, sobre todo en estos tiempos en que dos por tres, y vaya uno a decir que no a un acampante con necesidad al paso.

Gutiérrez, que había sido "centrejá", capitán de cuadro de barrio, y luego juez, juez de tercera de ascenso, donde para hacerse respetar y salir entero precisaba un 38, que no usaba pero en cambio imponía, por respeto, por boxeandanga de piña prohibida.

Tenía, junto a las libretas de levantar quinielas, prolijas siempre, pese al carbónico colorado, una tablilla que ni Freud. Ahí, número a número, venía el sueño correspondiente. Desde el doble cero, que equivalía a soñar con huevos, hasta el 48, que vaya uno a saber por qué, tenía que ver con "il morto qui parla". Así que, si soñás con muertos, 48.

La oficina estaba al fondo, sí, pero con ventana. La ventana, calle por medio, daba al Recreo La Carreta, donde tenía sucursal, que atendía él mismo. Bastaba cruzar. Eran otros parroquianos, con la mano y el codo hechos a otro mostrador, y allí iba, y también tenía mesa. En la puerta del Recreo, donde además tenía la concesión de vender chorizos frente a la cancha de bochas los días de partido, ponía el pizarrón. Negro, visible, con diez rayas blancas fijas horizontales, una vertical, y la numeración nítida del uno al veinte. Había, por encima de la tabla, una franja ancha donde, a mano, se pintaba el "Hoy Juega". Con letras grandes pero muy juntas, porque una vuelta Zacarías, en los días de las letras separadas, le había insertado al "juega" una "r". "Hoy Juerga".

El Macho lo supo y encaró a Zacarías con una sonrisa, apenas insinuada. Y poniéndole en la mano un trapo rotoso, sucio, húmedo, le dijo: "cuidalo: a partir de hoy, cuando te diga, me borrás los resultados". A los treinta días clavados, sin faltar uno, Zacarías le devolvió el trapo. Se lo había lavado la buena de su casera que, además, le había remendado una punta. Y planchado todo.

El día que cerró las libretas y guardó el lápiz en el bolsillo y no tras la oreja, como en ristre, sacudió la botellita de gaseosa donde había disuelto la tiza blanca escolar con agua y ensartó en el envase el pincel fino, porque algo iba a grabar. "¿Y qué va a grabar... ", dijo el Paisano Rivas, parroquiano de todos los mostradores, "... que no sea el Hoy Juega?". Fue cuando entró la Cristiana. Era media mañana. El pelo teñido atado en moño, delantal de cocina sobre el vestido floreado, de lo más barrial, más que barrial, vecina. "¿Está cerrando porque entra una?", dijo, algo mosqueada. "Por usté abriría hasta el dormitorio", dijo el Macho. "No estoy en horario de trabajo", sentenció, dura. Agregando: "Anote, cero tres a la cabeza con el treinta en diez, y me lo hace a la vice inversa el treinta a la cabeza con el..." "Hoy no levanto, doña". "Ajá", replicó la Cristiana mirándolo desde arriba; el Macho seguía sentado, con el pizarrón sobre la mesa, libre de libretas, sacudiendo el botellín para emparejar la tiza y el pincel que comenzaba a dibujar un "Hoy" grande, más que el común. "Así que hoy no juega", dijo la Cristiana, furiosa. "No", retrucó Gutiérrez, contundente, mientras el pincel terminaba con una "g" y seguía por la "u". Entonces Gutiérrez levantó la mirada y la vio a la Cristiana, sencilla, linda, que dejaba el enojo para entrar en sorpresa, y el Macho que va y le informa, a lo vecino, a lo buen vecino, "hoy les caen, señora". Y la Cristiana comprendió, y comprendió también que el "señora" fue dicho lindo, sin joda, respetuoso, natural, y te diría que hasta con cariño. Entonces, ella, que hubiera querido largar un "hijos de una gran puta", tradujo, con la misma furia, "son hijos de perra y no de madre", y al Macho le gustó y ya había terminado con el pizarrón, la tiza aún húmeda y va y se lo muestra, ese pizarrón que iba a colocarse en la puerta del Recreo que miraba al parque y que se podía leer desde las ventanillas de los tranvías que traqueteaban en los rieles donde crecía el pasto: "HOY, GUERRA".

"Bien", se dijo la Cristiana. "Van a precisar vendas".

Y ahí se fue, con paso rápido, a hervir dos sábanas y hacerlas tiras, bien limpias, y con las muchachas y la Portera, meta cortar y arrollar, con las manos bien lavadas.

Y ahí se vio que el Negro de la Mirada era algo o mucho más que jefe de cocina, porque sin que nadie lo decidiera estaba decidido, lo habían decidido de hecho, sin dudas, titubeos, asambleas, votaciones, esas cosas; bastó que dijera "los cajones me los estiban por el flanco en tres filas, más alta la primera, cosa que no llegue la caballada". Y ahí se movilizaron, y él, "piedra, metan piedra". A la infantería la tenían de frente, en la barranca, y lo que más inquietaba al Negro eran esas bolsas negras con ojos de mica que les colgaban al cinto, cuando otra voz, "y usté qué hace acá". Va y le dice: "Gas. Máscaras antigás. Poner toallas y paños en remojo, eso frena". Y el Negro: "A ver los de enfermería, requisa de toallas y paños". Y una doctora, rubia, flaquita, al firme, con el maxilar inferior caído, cuando vino la otra orden "arme la Urgencia, habrá lastimados". Y Menéndez: "Y plan, ¿hay?". "Hay". Y señaló tres escuadrones mansos, segunda fila en los flancos y el frente, cada cual con un vaso, jarro. Botella con agua. "¿Y eso?" "Eso afloja el pecho". Y ante la extrañeza del Gaita, "cualquier enfermo sabe; abre los bronquio".

"Hay que abrir brecha por el flanco que da al Norte, ¡joder!". El Negro de la Mirada no entendía. "¿Para qué?" "Para evacuar heridos". "Ah", respondió el Negro. "Y para una retirada en orden". "Aquí venimo a resistir, no a rajar". "Retirada no es fuga, ¡coño!; ordene la brecha". El Negro la pensó. El Gaita, callado siempre, sin contar nunca, tenía como un aura de combatiente legendario. "A usté la brecha lo trajo hasta acá". "Y acá estoy, ¡joder! En la barricada". Y al Negro le dolió haberle dicho lo que dijo y vio que el Gaita era un hombre entero, sano, sin bacilo, y ahí estaba, y entonces fue que dijo: "¿Y pa' dónde queda el Norte?".

No sabía. El Gaita manejaba los cardinales, pero el Negro sólo sabía que el sol salía a sus espaldas, del otro lado del estadio, y a su frente estaba la barranca de la tropa de a pie y luego el parque. Que a la derecha había un bastión amigo, el Recreo La Carreta, y para el otro no sabía bien. "Chacras", dijo Menéndez. "Detrás de la caballería hay chacras, pero no podemos llegarles de frente; la brecha por ahí, abriendo paso entre los cajones de la primera línea; ponerlos altos, ¡joder!, que por ahí no los ven y salen hacia donde sale el sol, y se van pegados a los muros de las tribunas, y rodeando el deportivo van a dar por detrás de la caballería, mesmo a las chacras".

"¡Levanten esos cajones, ¡carajo!, que no tenemos todo el día, alto, ¡joder!, para que no se vea la salida, y usté, Zacarías, hágase cargo, que es del barrio y conoce, en caso de necesidad me saca la gente por el corredor de los cajones y me la lleva rodeando el estadio hasta las chacras".

El Gaita le había entrado tan fuerte al Negro que, sin saber cómo ni por qué, había introducido en las órdenes el "¡joder!" que era del Gaita, ¡qué joder!

Y fueron estibados los cajones por encima de la altura de un hombre, y era un corredor discreto que doblaba hacia los bajos de la tribuna siguiente, y en la enorme estantería que quedaba hacia adentro, las gentes a evacuar fueron depositando con orden los pequeños bolsos, un poco de ropa, comida, si había algún peso lo llevaban encima, y con ellos las enfermeras y el médico, que sin más imperio que su humanidad se dijo "*eu fico*", y los a evacuar eran mucho más que un puñado, seleccionados por temperatura y estado, y allí Zacarías sabía y mucho, "ese es de 38.2, ella llegó a 39", y así.

Entonces, plantado frente al Negro de la Mirada, Zacarías dijo "cuando usted ordene" y el Negro "cuando ordene lo sabrá, por un servidor o por Menéndez". Menéndez, sin galones, como todos, tuvo, desde esa frase, jerarquía de par.

Fue entonces que se escuchó un redoblar enérgico, que subía y bajaba de volumen porque había un vientito arrachado, y era el redoble, prólogo de un anuncio, como proclamas de rey en la Edad Media, y en eso pararon en seco los palillos, y avanzó un asistente galonado, con una bocina o corneta o embudo, no se veía bien, pero era para amplificar la voz que entonces se hizo y era como de radio vieja, con un sonido que se disparaba para arriba y el informe a los sitiados llegó entrecortado, "tienen una hora, serán bien tratados, que están los camiones para restituirlos a su lugar de origen, que todo está en orden y que avancen los cabecillas hasta tres para parlamentar la rendición por orden del Superior Gobierno, deben avanzar al centro de la calle, hasta tres, no más, con las manos vistas".

"Se viene la langosta", dijo el Hojalatero. Y el redoble cerró la proclama y volvió a su puesto, junto con el de la bocina, y hubo un gran silencio, como del día anterior al primer día de la Creación.

Tantos días, tantas noches, tanta vida fueron oscureciendo las ojeras de los acampantes. Que allí estaban, en torno al fogón, envueltos en mantas, tosiendo bajo las mantas para no interrumpir aquello, que era una asamblea de la Corte de los Milagros. El Negro de la Mirada había dado cuenta de cómo venían las cosas, "si no nos pudo la langosta, estos tampoco", dijo, "pero que todos estaban libres de volver al hospital por donde se vino, y todos en paz". Hablaba bajo, el Negro, pero se oía clarito. Luego le dio paso a la enfermera, tan flaquita, tan rubia, tan buena, que con el papel en la mano leyó los nombres de los que tenían que volver con ella, que el médico, tan bien, le había dado, que no podían pasar una noche más, que caía una helada que no la entibiaba un fogón, y que Miquito, el que arrima la carne del guiso, tenía a dos cuadras, junto a la cancha de bochas de La Carreta, su camioncito a disposición, con techo de lona, y que todo estaba bien, como había dicho el Negro de la Mirada, nadie se va por afloje, se va porque así está de Dios. Y así se fue juntando una veintena, y la flaquita con ellos, y fueron andando con sus bultitos y la frazada sobre los hombros, arrastrando una punta, y no había guardia ni tropa, todo sin nada, como se había acordado, y los vecinos, el barrio, junto al camión de Miquito, con cosas, ropa, comida, tortas, un primus, y Miquito al volante, colorado de cara y nariz, rubio lacio, firme, hombre acostumbrado a cuchillas y chairas, y estaban la Cristiana y sus pupilas, la madre de Lurdes, que preguntó por el Castillo y quería decirle que la nena estaba bien, que vendió todo y con la Paisana le estaban preparando otra partida de cande y a ver si Zacarías tiene más papelitos, que está en las casas, y que la tía volvió arrepentida, lo más bien, y el Macho Gutiérrez ayudaba a los evacuados a subir a la caja del camioncito, que era un Ford y estaba muy alta, y el Canchero les hizo una escalerita de cajones, y nadie hablaba. En la asamblea, sí. Luego de la partida se conversaba sobre la negociación y la defensa. Había que designar a tres, una trinidad, para parlamentar.

Había una raya amarilla. La habían calculado de seguro los ingenieros del tránsito y estaba, estaría, a una distancia equidistante a las orillas del hormigón de la avenida, los cordones de las veredas, que reciben en declive, para que corra el agua, la comba que a uno y otro lado marca el fin del ancho de la vía. Pareció justo, ecuánime, igualitario, democrático, que fuera en la raya amarilla que se encontraran los unos y los otros. Ni estos ni aquellos invadirían, parlamentando, aquella frontera nacida para indicar que los vehículos que iban hacia un lado no podían invadir el carril del más allá de la línea, pero a lo largo. Las delegaciones, en cambio, no podían cruzarla, durante el evento diplomático, a lo ancho,

Con el primer redoble de la mañana, el operativo se puso en marcha. Desde la barranca descendieron los representantes de la autoridad, el jefe de Policía en persona, luciendo uniforme de ceremonia y un bigote bien recortado; portaba la fusta, emblema de autoridad. Una fusta chica, un adorno, casi, como para prestársela al nieto en la calesita, que el jefe bien podría tenerlo, que si bien el pelo que asomaba bajo el quepis era renegrido, en caso de quitárselo se le veía el blanco de las raíces. Más atrás, a un par de pasos, el comisario. Dos pasos atrás del comisario seccional, el escribiente, que levantaría el acta. El escribiente era jovencito y llevaba lentes. El comisario, traje de camuflaje, de combatiente, esos que tienen manchas que van del beige a cierta variedad de verdes, para que en caso de avanzar entre los yuyos o el chilcal, se les confunda con la naturaleza, tal su naturaleza.

Desde la orilla opuesta zarparon, al tercer golpe del cucharón en la tapa de la olla del rancho general, los otros o, con palabras de Menéndez, "los nuestros".

"Dios los ilumine", dijo la madre superiora, porque la superiora estaba allí, y desde allí partieron, en una misma línea, los tres mosqueteros de la tisis, los bacilares de la espada, los palmados de la bronca, los representantes de la ira contra el microbio; tres, iban tres, con un tapaboca cada uno, confeccionados por la Rodríguez, que les llegaba a los ojos, lo que en primera instancia agradó al jefe de Policía, porque los bichitos también se largan por la nariz, y le agradó también que los acampantes aceptaran detenerse a tres metros de la raya amarilla, que ellos, la delegación oficial, iban a hacer otro tanto del otro lado, que el informe de la sanidad militar les había dicho que a cinco metros no hay contagio, pero a Seguro lo llevaron preso, y ahí estaban, a seis metros, clavados cada cual, frente a frente, y la delegación de acá era puro ojo, porque todos venían cubiertos: con gorra el Negro de la Mirada, boina de vasco el

Hojalatero y el Castillo de chambergo requintado, medio compadre, así que si los iban a escrachar describirían el color de ojos y la estatura, no hay que facilitar.

De partida, el jefe alzó la fusta con el mango hacia arriba, en señal de paz. Los otros izaron una funda hervida por la Cristiana, muy blanca de hipoclorito, donde habían llegado embolsadas las vendas, y hoy flameaba, de lo más pura, en señal de parlamento, paz de frontera, y una vez parado en una línea, la funda, atada a un palo medio garrotero, se recostó en el Hojalatero, que la llevaba contra la pierna, un poco hacia atrás, que se viera la funda pero poco el asta, y la voz del comisario, "el palo a la vista", y el Hojalatero miró al Negro, enmascarado como todos con bolsa de harina, que tapa pero deja respirar, y el Negro le hizo una seña y el Hojalatero colocó el garrote de frente, con las manos apoyadas en la bandera, entonces el jefe saludó: "Bienvenidos", y el Negro: "Diga". Y dijo que no había negociación posible si no desarmaban la barricada, que no era constitucional, que no habría sanciones y que todos volverían, cada cual con lo suyo, al hospital de Caridad, de donde, con paciencia, ya hubieran salido sanos y robustos, que todo eso lo costea el Estado, así como el retorno, y que el deporte es una fiesta popular y el Sudamericano es para todos, una fiesta, señores, juega Uruguay. Y cambiando de posición la fusta, luego de un silencio, sentenció:

—Levanten el campamento y los evacuamos.

El Hojalatero aferró el mástil y alzó la funda. El Castillo requintó el gacho ya requintado, alzó el tapabocas y les tosió. El jefe dio un paso atrás. Y el Negro de la Mirada dio la orden:

—Pa' las casa.

Y el comisario, casi contento, le murmura al jefe, "se van". Pero no. Las casas era el campamento. Y allí volvieron, y parecían más, eran tres, pero más, con ellos la Virgen de Lurdes, la Rodríguez y la Blanca del Castillo, que tanto trabajó con las vendas; pero había otros muchos, la tía, el Paisano Rivas, Miquito, qué sé yo, y volvieron todos y eran más, muchos más, ¿de dónde?, ¿quiénes?, eran muchos, y la superiora se hincó, eran muchos, eran los panes y los peces multiplicados, juro que eran más, y la madre se persignó. Estaba escrito.

El resto es silencio. Y esta es la crónica del silencio, de ese silencio que aún no ha sido tecleado, incluido en la historia, como si la historia segregara por temor al contagio. El silencio está lleno de leyendas, mitos, heroísmo, miserias, macanas, egoísmos, confusiones. El silencio habla. Bueno, no existe. El silencio no existe. La crónica de los últimos días fue como la de los últimos días del hombre del Gólgota, que por ahí anda, aunque no se le ve mucho, más bien nada, aunque viva, con sus agujeritos en las palmas y esas cosas. Fueron últimos días, sí. Pero se siguen comentando. Acá igual. Pero vaya uno a ordenar, en su imaginario, acontecimientos simultáneos, reales unos, fantásticos otros, más reales que los reales, porque eso de que cuando Zacarías capitaneaba la evacuación de los afiebrados de 38.5 para arriba, a través del laberinto de los cajones, se diga que jamás fueron vistos, porque saliendo el grupo, según se cuenta, reitero, a las cinco en punto de la tarde, el sol se nubló, se hizo noche, lo de Jericó fue un poroto, jamás fueron vistos, porque, además, el recorrido desde la tribuna del campamento hacia el territorio de los chacareros se hizo a través de un cañaveral que no existía, y lo más extraño era que los choclos estaban maduros, fíjese usted, y que la retirada a buen paso no se enlentenció a pesar de que la columna manoteaba a diestra y siniestra choclos que embolsaba y así llegaron todos, salvos, que sanos no, con una bolsa al hombro, y vaya uno a confirmar, con una memoria en estado de desacato, si los acontecimientos fueron exactamente así, que al fin de cuentas pudo ser una hora antes o algo después, que lo único que se conserva es el parte policial: "un grupo de sediciosos se dispersó en fuga", y el otro testigo, Zacarías, narra hechos con un manojo de termómetros que dan testimonio.

Como testimonio da el Macho Gutiérrez, mientras pinta a tiza aguada los números del sorteo y la Cristiana, a su lado, le canta los números, y son historias, leyendas, memorias, sucedidos, sueños, deseos, todo en esa narración de la caballería al cargar, sable en mano, contra un campamento de tuberculosos que no dejaban jugar al fútbol, ¿dónde se vio?, y hacían resistencia bajo la tribuna del palco oficial, con barricadas de cajones verduleros, aspiraban hondo cuando la Metropolitana se les venía en embestida, pechando la caballada contra la primera línea de cajones estibados, que les reducía la velocidad y ahí se recomponía, entre la primera línea y la segunda, más alta, donde treparon, de cuerpo entero, los tísicos menos débiles, y entonces se produjo, al grito de "¡Aura!", que retumbó en la voz del Negro de la Mirada, y los gargajos entraron a caer sobre el milicaje, alertados del contagio por la oficialidad, y el desconcierto, tratando de parar los escupitajos con el sable levantado, qué va, mientras los tiradores del campamento se renovaban. Porque los de la primera línea entraban a toser, lo que más espantaba a los milicos, y ahí se produjo, che, ¡quién diría!, la desbandada del Noveno de Caballería Metropolitana.

—¿Dónde está tu pájaro, plumita?
—Mi pájaro es un sueño:
se ha volado.

—¿Volverá?
—Nunca se va.
Vuela y permanece,
como vuela y permanece
todo lo soñado.

Usted va y hunde las raíces en los recuerdos, en la tierra fértil de la memoria, y le crece un árbol que desparrama copa y cantos como se le canta: una rama por ahí, otra que se alza, aquella que florece, alguna que se seca. ¡La gran puta, che! Si es como la vida, mismo. La de uno y su todo, y la de todos. El barrio es mi memoria grande, y ahí están todavía, aunque no estén ya en esto, el botija que artesanea la pelota de trapo, la vieja que riega sus cretonas, el canilla que raya el aire con el "¡última hora, diario!".

Y don Francisco, el afilador que va soplando alegremente en su siringa, la misma melodía, única, igual seguramente a la que entonaban las procesiones pánicas de sus antepasados los etruscos; y por allí anda, para siempre, el Negro de la

Mirada haciendo chirriar su carretilla; y los maizales del Gaita, oprimidos por las edificaciones, pero aún rebeldes, que se elevan en cuantito se les facilita un palmo de tierra.

Quedan memorias que pugnan por entrar de nuevo en uno. Otras que, como hojas, como plumas, vuelan a su albedrío, flotan en el aire, se esparcen y dispersan... Tienen vida propia... Recuerdos que se van pero vuelven... Que caen... Remontan vuelo... Retornan.

El barrio, la memoria, el árbol, la vida.

Son una fiesta.

Hojas caídas del libro

Al Negro de la Mirada le costaba salir del tartagal. El Gaita le daba tiempo. La corrida fue feroz, pero el Campeonato Sudamericano estaba llegando a los cuartos de final y la autoridad tenía otras ocupaciones; aquello ya fue. Menéndez lo llevaba despacio, sabía que las correrías de clandestino dejan una inercia por ahí adentro hasta mucho después que se pasa a legal. Queda, eso sí, como un reflejo, alguien que te camina atrás, inquieta; uno se para, mira para el baldío de enfrente, mientras de rabo de ojo lo diagnostica de costado. O se agacha y anuda los zapatos anudados o le recorta a uña un bigote a la alpargata. Por eso Menéndez lo llevaba despacio. Pero en momentos como este lo prefería más liberado, tanto, que mientras el Negro se iba al fondo, bien al fondo, y cavaba una vez más, ya no quedaba dónde, fuera de la vista, cubierto por los tártagos colorados —usted pensará que agazapado, pero no, sólo en cuclillas—, entonces el Gaita, en su sillón de mimbre, con base de arco, como para mecerse, poco, eso sí, por destartalado, y rodeado de gallinas que lo veían siempre como productor y repartidor de raciones, le largaba, como al descuido, al aire, "los del Recreo le tienen guardadas las labores de flete, cuando guste acarrea la leña para el parrillero, tranquilo, sin esfuerzo, son unos reales, la carretilla queda para usté, les puede usar el escusado..."

Y entonces se oyó desde el fondo del territorio un "Ajá" del Negro, que entendió clarito que el viento soplaba para las casas, y desde ahí le sacó otro tema. "Se casan, ¿vio?".

La Cristiana cerró el establecimiento, pero como los parroquianos tardan en ponerse al tanto, cada tanto rondaban. Ella dejaba la puerta abierta, cretonas en el zaguán, la cancel también de par en par, y allí, a la vista, Caruso, el canarito albino, cantor hasta la ronquera, obsequio de Gutiérrez, fastidiado por "¿por qué carajo la gente no entiende que cerró?"; entonces fue y se instaló en el zaguán de común acuerdo ganancial, y la Cristiana misma mejoró la geografía de sus números y anotaba lo más bien, con un pañuelo en la cabeza por la mañana, que le cubría los ruleros de papel, de lo más como todo el mundo. Pero como por las noches iban y tocaban timbre, hubo que descomponerlo primero y por último, colgar un cartel, "Agencia de quiniela, sucursal número tres". Ella quiso que bautizara la agencia con su nombre pero el Macho la cortó, "estás loca".

Por la tarde la Cristiana tenía cita en Tierra Santa y quería ir muy arregladita, por eso los ruleros, y cuando le preguntó a Gutiérrez si se pintaba las uñas, él le dijo "con las uñas en rojo nadie se arrepiente del pecado". Y es que la Cristiana iba a confesarse porque quería estar en regla con Dios porque habían decidido formalizar.

El Macho y la Cristiana se habían enamorado desde el día de la Anunciación. La anunciación aquella en la pizarra del quinielero de "hoy guerra", y ella yendo y viniendo desde su establecimiento con rollitos de tiras de sábanas hervidas, tantas que el Macho le dijo "mire que es pa' gente, no pa' momia". Y se rieron juntos y Gutiérrez vio que la Cristiana tenía todos los dientes y lindos y una risa suelta, la misma que largaba tiempo después cuando la llevaba los domingos al biógrafo para ver las películas de Catita.

Y allí el Negro de la Mirada, acuclillado en el Más Allá del tartagal, y el Gallego Menéndez meciéndose, poco, porque el sillón de mimbre venía herido de tiempo y uso, conversando. Conversando, como quien no quiere la cosa, de amor. Porque cuando el Negro dice que a la Cristiana se la ve hoy "tan atenta, sencillita, servicial" y Menéndez recuerda que su parlamento con su funda y las vendas dieron para mucho y el sobrante, después de aquello, lo anduvo vendiendo Zacarías en la feria, cuando esto dicen, están diciendo que así es la mujer que no tienen, como tiene el hermano del Negro, "una leona que hace temblar las columnas".

Ninguno habla de la suya, hay un respeto. Ni el nombre. Se nombra para adentro, se murmura para adentro, se duele para adentro. Tal vez para adentro se pregunten "¿en qué andará?", y lo demás es recomponer polleras floreadas, platos humeantes, gritos, llamados. La noche.

Y así van, tartagal por medio, frases relacionadas, y las de otros asuntos, "cerró la casa", "ya no se pinta", "Gutiérrez es otro, cuando hace números, silba". Y por ahí las dudas, ¿les irá bien?, ¿podrán con todo?, ¿se mudarán?, "la gente es mala y comenta".

"Fijate", medita Menéndez, "¿cómo lo verán las gallinas a uno?". Y el Negro: "Creo que se quedan en la misma casa". Y Menéndez: "Me siguen, ¿has visto? Soy para ellas un ser que se desgrana y vuelve a granarse para poder desgranar. No me temen, me necesitan, no me quieren. Me quedo con sus huevos. Fijate". Y el Negro: "Ella fue a Tierra Santa". "¿A Tierra Santa?" "A la iglesia, sí, de lo más sencillita, a confesarse, digo". "A la iglesia, coño". "Dicen que allí, si una cuenta, sale limpita".

Hay un silencio. El Negro de la Mirada, ya en pie, mirando a Menéndez en el Más Allá del tartagal, sentencia:

—¿Quiere que le diga una cosa? Son las mejores, Menéndez. ¿No ve, pobrecitas, que han sufrido mucho?

Y ahí andaba Jesús, Jesús el Garrapiñero, "a real las grande, a medio las chica", con su espejo reluciente, esa fabriquita de llevar al hombro, cajoncito niquelado, donde el sol golpeaba y rebotaba multiplicado, capaz de cegar a Polifemo sin el sufrimiento de una estaca, y allí estaba, tapando el combustible contrabandeado, que dio para seis botellas, de cerveza todas, y a ellas fue a dar la nafta que pasó por kerosene, y había que ver el copetito blanco de las molotov, mal vistas por la Rodríguez y la superiora, "cosa de rusos", y Menéndez, mosqueado, "anda, anda", muy compinche con el Hojalatero, suministrador de tácticas y pertrechos, y el Negro de la Mirada, mirando, controlando, disponiendo, y el Gaita que asesoraba, "se movilizan los del barranco". "¿Cómo sabe?", increpó el Negro, con respeto. "Porque han pasado del descanso al firmes". Y tal cual, che. Se fueron deslizando en línea, bajaron la estribación, con la mochila del gas y la máscara a la espalda y con bastón empuñado, cruzando el pecho, "medidas disuasorias", diría el parte, y bajaron el cordón de la vereda y avanzaron por tierra de Marte, el territorio de antiguos parlamentos, mientras, en la barricada de los tísicos, seis de los que no llegaban a 37° aguardaban, cerveza en mano. En tanto, la línea de azules iba llegando a la línea amarilla, a paso corto pero firme, "izquié deré izquié deré", y el redoblante cuartelero y el bastón, eufemismo de garrote reglamentario, cada vez más nítidos desde el campamento. Y fue ahí que volaron las cervezas espumosas de fuego. Pero no. Y eso es lo grande.

Usted pensará que la levitación es o no es. Eso es cosa suya. Hay mucha leyenda, también historia, y si gusta, ciencia. Los que se han elevado, hasta la fecha, son cuerpos. Horizontales. Duros. No se registran alzamientos verticales. De objetos, sí. Pero eso entra en la telekinesia, y no viene al caso. Lo que sí viene al caso es el extraño suceso, como lo registran los anales del barrio, de la levitación de algo que no es algo, algo ilevitable, tanto, que ni en las Escrituras se vio algo así.

Ocurrió que la tropa en azul marino avanzaba en un orden enérgico que ya quisieran las langostas; la batería pesada de los bacilares lanzó los proyectiles en la comba, encendidos. Y parecían estrellas fugaces, no tan veloces, parecían estrellas en cámara lenta, y acotemos que las crónicas no lo registran, que era de noche, estaba fresco, no se sabe la hora pero noche era y sin suspensos bíblicos, y las cervezas, que eran de tres cuartos, impactaron en el hormigón de la avenida, en distancias equidistantes unas de otras, paralelas a la línea amarilla y a los azules que se venían; y usted dirá lo que quiera, pero las seis botellas cayeron de culo, y como una bocha chanta, o una taba reglamentaria, de timba. Chanta. Clavadas. De pie. Ardiendo los mecheros, palmatorias, candiles. La línea de azules titubeó sin detenerse y el redoblante aumentó el volumen y el ritmo, porque el jefe ordenó al grito, "¡carguen!", y ahí está, ¿ve? Las molotov no reventaron. Pero no sé si el calor de los mecheros de Jesús el Garrapiñero o qué sé yo, provocó la levitación. La levitación de algo que nunca se vio, porque no era nada, porque no me diga usted que una línea amarilla es algo, una raya, chau. Amarilla. Y cuando, máscara a la espalda y garrote en mano, entraron al trote las líneas de los azules, la Línea Amarilla, como lo oye, entró a levitar. Primero una parte, que aguardaba el alzamiento de la otra, pegada aún al hormigón, porque si tironea se parte, y así, ondulante primero, horizontal finalmente, la raya levitaba no muy alto, discreta, a media altura, y ahí los azules, con el redoble, la orden y la inercia, la atropellaron, y quedaron pegoteados, les faltaba moña para ser paquete, no iban ni para atrás ni para adelante, ahí, peludeando con la franja levitada, amarilla, que les cruzaba el pecho. El uniforme les quedó como bandera sueca. Parecían hinchas de Boca, che. De lo más *barra brava.*

"Al filo del mediodía, en tierra todavía nuestra, las directivas y concejos circulaban de un grupo a otro, en francés, en alemán, en inglés, en español. Aparentemente no escuchábamos nada. Sin embargo, obedecíamos punto por punto lo que se nos indicaba. El instinto de conservación hacía mantener un mínimo necesario de disciplina.

Lentamente nos dirigimos al lugar de reunión. La columna no era, como otras veces, expresión de aguerrida moral revolucionaria. Ahora, la formación constituía solo un recurso, un medio contra el riesgo de quedar encerrados en la ratonera. Las filas de las brigadas internacionales aparecían, apenas, como un refugio".*

Una vuelta, ni antes ni después, una vuelta, en otro tiempo, que el tiempo es un meandro, andaba Menéndez recorriendo sus plantaciones. Después de la poda de la langosta, los cañaverales habían levantado con ganas, como peleándole centímetros, metros, a los invasores. Se incrustaban en el aire, haciendo asomar en el extremo del fruto, envuelto en chala, una barbilla que en algún momento le recordó al Gaita los mecheros de la cerveza. Pero eso ya había sido, aunque siguiera siendo porque siendo historia, memoria era y así, las cosas, los hechos, seguían siendo.

Fue en esas vueltas que se cruzó con Zacarías, que tocaba timbre en una casa. "¡Hala!" Y Zacarías pegó un respingo, como si lo hubieran sorprendido *in fraganti*.

Y era tal cual. Después de comandar la evacuación de los fiebre alta hacia las chacras, donde se derramaron, afincando alguno, volviendo a sus casas los más y más de uno retornando al hospital, Zacarías quedó sin más que un puñado de termómetros y con eso regresó al barrio. Él no estaba fichado como tísico, no lo iban a requerir, anduvo en las vueltas con ellos, eso sí, y con más tos de la debida, por la que se había quedado en el campamento. Así que volvió a la pieza que le mantenía la encargada casera, que se emocionó al verlo; él era todo un héroe, y lo tenía a domicilio, y lo miraba con mirada de amor imposible; así que, con cama y techo, había que buscar la vida, y la vida le había regalado un oficio, original, novedoso: la tómbola del termómetro. Se mandaba un recorrido puerta a puerta, ya tenía una clientela fija, él llegaba, las vecinas se reían, el tubito de mercurio, frío, les cosquilleaba en la axila, Zacarías anotaba, no eran pacientes con fiebre, pero nunca la temperatura normal se clava en 36 y medio, usted pruebe, y de pronto anda en 36.4 o 36.6, no es exacto, así que Zacarías iba y anotaba en el cuaderno que fue de la Virgen de Lurdes, las temperaturas barriales, a real el sorteo, y para mayor garantía, las cédulas de San Juan, los papelitos del cuaderno, recortados a tijera con el nombre y la temperatura correspondiente, se sorteaban a la vista de testigos, no muchos, para evitar bullas, en el boliche de la Carreta y en el gacho del Paisano Rivas, que era cabezón.

Frente al timbre del encuentro, cruzando la calle, había un baldío, chico, desamparado. El Gaita, que le había cobrado afecto y camaradería al Zacarías del campamento, después de escucharle sus peripecias y preguntarle por la salud, y al verlo en oficio tan poca cosa, orientó con su mirada hacia otro tema.

—Linda tierra —dijo.

Zacarías cruzó la calle con la mirada.

—Linda —consintió.

—Muy linda —agregó Menéndez.

—Negra, sí —corroboró Zacarías.

El Gaita se sintió estimulado, Zacarías se estaba interesando por el noble oficio de la agricultura. Insistió.

—Tierra para maíz.

—Ajá.

—Esa tierra da maíz.

Zacarías volvió a mirar el yermo.

—Sí —dijo—, pero no da.

—¿Cómo que no da? —retrucó, serio, Menéndez—. Esa tierra da maíz, ¡joder!

—Mire, Menéndez —polemizó Zacarías—, cualquiera puede ver que esa tierra no da nada.

—¡Coño! —dijo, Menéndez, algo enfurecido—. Usted carga con la azada y si planta en esa tierra...

Y Zacarías que lo interrumpe:

—¿Cómo, si planta?

—Claro, hombre, usté va y planta...

Y lo volvió a cortar Zacarías, ya en otra:

—¡Ah, si planta, qué vivo! Si planta. Así cualquiera...

Notas

* "La última marcha de las Brigadas Internacionales", de Juan José López Silveira, combatiente uruguayo, capitán en las Brigadas durante la Guerra Civil Española. Artículo aparecido en el semanario *Marcha*, Montevideo, s/a.

** *Casi toda una vida*, de Benoîte Groult, Madrid, Punto de Lectura, 2002.

*** *Recuerdos de la viuda de Miguel Hernández*, de Josefina Manresa, Madrid, Ediciones de la Torre, 1980.

Impreso y Encuadernado en
mastergraf srl
Gral. Pagola 1727 - CP 11800 - Tel.: 203 4760*
Montevideo - Uruguay
E-mail: mastergraf@netgate.com.uy

Depósito Legal 337.068 - Comisión del Papel
Edición Amparada al Decreto 218/96